専門医が治す!

自律神経失調症

ストレスに強い心身をつくる、効果的な療法&日常のケア

久保木富房◎東京大学医学部教授［監修］
伊藤克人+宮坂菜穂子［編］

高橋書店

はじめに

つらい症状に別れを告げて、「健康ではつらつとした自分」を取り戻しましょう

「肩こりがひどく、頭がズキズキ痛い」「歩くとフラフラする」「夜、なかなか寝つけない」「全身がだるくて何もする気がしない」――。これらは、どれも自律神経失調症の代表的な症状です。ストレス社会といわれる昨今、このようなつらい症状に悩まされる人が非常に増えています。

ところが、自律神経失調症は、病院で検査を受けても身体的な異常がみつからない病気です。そのため、「どこも悪いところはありません。あまり気にしないで……」などといわれるだけで、適切な治療を受けられないケースも少なからずあるようです。患者さんにしてみれば、原因がわからないだけに、なおさら不安になってしまうことでしょう。また、周囲の人に理解してもらえないつらさもあって、気分が落ち込んだり、症状がますます悪化するという悪循環に陥りがちです。

これらの症状は、決して「気のせい」で起こるものでもなければ、「気のもちよう」で治るものでもありません。自律神経失調症を克服するためには、まず、症状を引き起こしている根本的な原因――ストレスや不規則な生活習慣など――に、ご自身が気づくことがとても大切なのです。そして、その要因を取り除く、あるいはじょうずにコントロールする方法を身につけることです。

私たち心療内科医は、そのお手伝いをしています。治療は医師と患者さんが一緒になって進めていくものですから、患者さんもこの病気のことをよく知って、積極的に治療に参加していただきたいと思います。

本書は、自律神経失調症の基礎的な知識やさまざまな治療法などを、わかりやすく解説したものです。また、日常のセルフケアとして、ストレスのじょうずな対処法や、よりよい人間関係を築くためのポイント、そしてストレスに強い心身をつくるための生活上の心得などを紹介しています。

みなさんが、自律神経失調症という病気を正しく理解し、「健康ではつらつとした自分」を取り戻すために、本書がお役に立つことを願ってやみません。

東京大学医学部附属病院心療内科　久保木富房

もくじ

第3章 体と心に現れる症状のいろいろ

第4章 ストレスが自律神経を乱す！

第5章 診断と治療はこのように行われる

●本文デザイン／Studio Blue Note
●本文イラスト／木口二郎　大木桂
●編集協力／四釜裕美

第1章

自律神経失調症はこんな病気

症状があるのに検査で異常がみつからない

頭痛、肩こり、倦怠感、胃の不調などのつらい自覚症状があるのに、病院での検査結果はいつも異常なし。そんな人は、自律神経の乱れを疑ってみてください。

具合が悪いのに異常なし？

近ごろ、「肩こりがひどい」「胃腸の具合が悪い」「手足の先がしびれる」など、自分ではこれといった原因が思い当たらないのに、慢性的な体の不調を訴える人が増えてきました。病院で検査を受けても異常はみつかりません。医師も診断に困ってしまい、「しばらく様子をみましょう」とか、症状によっては「神経性の胃炎です」と診断されたりします。

内服薬で一時的に症状が消えても、また具合が悪くなったり不調が続き、次々と別の病院で診てもらうなど、病院通いの常連になっている人も少なくありません。

ストレスや体質変化などによる自律神経の乱れが原因

このように身体的な自覚症状があるにもかかわらず、検査で異常がみつからない場合、自律神経のバランスが乱れて体に不調が現れる「自律神経失調症」の疑いがあります。また自律神経系だけでなく、免疫系やホルモン、そして脳内の神経伝達物質と呼ばれるものも、同時にバランスをくずしていることが考えられます。これらはとてもデリケートなため、本人が意識していない小さなストレスにも敏感に反応し、バランスをくずしてしまうことが多くあります。

自律神経失調症のおもな特徴

全身症状、器官の不調、イライラするといった精神症状など、人によって現れる症状が異なる

治ったり、具合が悪くなったりと、症状が一定しない。日によって症状が出たり消えたりする

一つの症状が続く場合、同時に複数の不調が起こる場合、次々に新しい不調が起こる場合がある

自律神経失調症

自律神経系や免疫系、ホルモン、脳内の神経伝達物質のバランスがくずれて、さまざまな不調が現れる

比較的はっきりした自覚症状があるのに、病院の検査では異常がみつからない

いくつもの病院にかかるなど、病院通いの常連になっている

同じ不調で複数の病院にかかると、それぞれ違う病名をいわれたりする

BREAK ミニ・コラム

病は気から？

自律神経失調症という名前が一般に知られるようになったのは、ごく最近のことです。でも、内臓や器官の病変によらない原因不明の体調不良や自覚症状を訴える患者さんは昔から多くいました。ところが、「病は気から」という言葉どおり、以前は「どこも悪いところはありません。気のせいですよ」で終わってしまいがちだったのです。

今では、ストレスや不規則な生活習慣などが影響して自律神経のバランスがくずれると、これらの症状が起こることがわかっており、「気のせい」とされることも少なくなってきました。

ストレス・生活リズムの乱れが2大原因!?

自律神経のバランスが乱れる2大原因は、ストレスと不規則な生活スタイルです。自律神経失調症は現代の忙しい社会環境が生んだ現代病といえます。

ストレスが自律神経のバランスをくずす

毎日が目まぐるしいスピードで変化している現代社会では、誰もが多少なりともストレスを感じながら生活しています。職場や学校、家庭内での人間関係、仕事やテストに追われる毎日、満員電車での通勤・通学など、私たちの周りにはストレスのもとになる要素があふれています。

ストレスのもとは、心や体に不安、いらだち、緊張、動悸《どうき》などのさまざまなゆがみを生じさせてしまう外的・内的な刺激です。

外的要因には、社会環境によるもの（人間関係、習慣、社会の規範などのプレッシャー）と、自然環境によるもの（音、光、温度などの変化）があります。

内的要因は、おもに個人のもって生まれた体質や性格、ものの考え方、とらえ方などです。

ストレスにあふれる現代社会を生きる私たちは、誰でも自律神経失調症になる可能性がある

これらのストレス要因が複雑に入り組んで自律神経のバランスがくずれたときに、自律神経失調症が起こると考えられています。

自律神経失調症が起こるおもな原因

ストレス

人間関係や環境の変化などの外的要因によるストレス、性格・体質などの内的要因によるストレス

生活リズムの乱れ

慢性的な寝不足、昼と夜の逆転、習慣的な深酒・喫煙、朝食抜きなどの不規則な生活

↓

自律神経のバランスが乱れる

夜ふかし、不規則な食事の影響も…

ストレスに加えて自律神経に大きな影響を与えるものに、生活リズムの乱れがあります。

人間の体には、夜は寝て朝起きるなど、ある一定のリズムがあります。ところが、現代では本来のリズムに反した夜型の生活をしている人が少なくありません。また、仕事や子育てなどで夜ふかしが続いたり、決まった時間に食事がとれない人も増えています。

多少の無理は調整してくれる体も、慢性的な寝不足や、昼と夜の逆転、朝食抜きなどの不規則な生活が続くと、自律神経のバランスは徐々におかしくなってきます。

体や心に現れる不調のいろいろ

自律神経失調症の症状は全身のさまざまな器官に現れる可能性があり、個人差が大きいのが特徴です。精神面での不調を伴う場合も多くあります。

症状の現れ方は千差万別

自律神経失調症は一つの病名ではなく、さまざまな症状を総称してこのように呼んでいます。

ですから、症状は人によってずいぶん違います。そして、その症状は頭部から肩、心臓、呼吸器系、血管系、皮膚、胃腸、足の先まで、全身のいたるところに現れます。これは、自律神経が体のすべての器官に影響を与えているためです。

具体的な症状については3章で紹介しますが、起こりやすい代表的なものとして、頭痛、めまい、肩こり、動悸《どうき》、息切れ、のどの異物感、立ちくらみ、手足のしびれ、吐き気、腹部の不快感、下痢、便秘などがあげられます。

これらの症状の現れ方も、人によってじつにさまざまです。一つの症状が続く人もいれば、「動悸がして胃もたれがし頭痛もする」というように、同時にいくつもの症状を抱えている人も多くいます。毎日不調が続く人もいれば、日によって現れたり消えたりを繰り返す人もいます。

また個々の身体的症状のほか、疲れやすく力が入らない、夜眠れない、食欲がない、めまいがするなど、慢性的な全身症状を伴うことが多いのも自律神経失調症の大きな特徴です。

全身にさまざまな不調が現れる

①身体症状、②精神症状、③全身の症状があり、症状の現れ方はさまざま

↓

定番の症状はなく、個人差が大きい

- 一つの症状が慢性的に続く
- 複数の症状が重なって現れる
- 症状が現れたり消えたりする

①身体症状

頭から足の先まで全身のさまざまな器官に不調が生じる

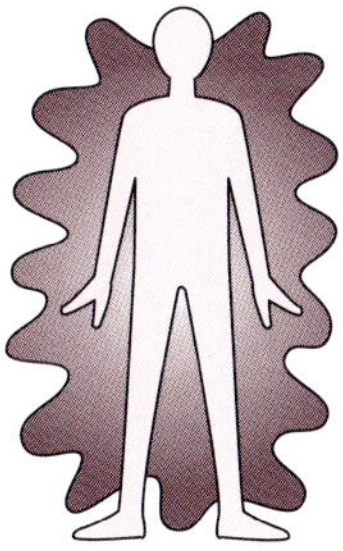

②精神症状

イライラ、不安感など落ち込んだ状態が続く。集中力・記憶力が低下する

③全身の症状

倦怠感、食欲不振、不眠など

イライラや憂うつな気分が続くことも…

自律神経失調症の影響は身体的な不調だけでなく、人により精神面に強く現れることもあります。

精神面での症状の代表的なものは、イライラや憂うつ感、不安感の増加、好奇心の喪失、集中力・記憶力の低下などです。

「何となく気分が晴れない」「ささいなことが気になって不安を感じる」「何をみても興味がわかない」「疎外感を感じる」など、いわゆる〝落ち込み〟が続きます。

精神症状も身体症状と同じように決まったパターンがなく、人によって現れ方や程度はさまざまです。

医師によって違う病名がつくことがある

日本独自の病名である自律神経失調症を取り巻く環境は、まだきちんと整理されていません。医師のとらえ方や治療方針もまちまちです。

自律神経失調症はあいまいな病気？

日本心身医学会によると、自律神経失調症は「種々の自律神経系の不定愁訴《ふていしゅうそ》を有し、しかも臨床検査では器質的病変が認められず、かつ顕著な精神障害のないもの」と暫定的に定義されています。

簡単にいうと、①自律神経を中心とした機能障害によって体と心に原因不明のさまざまな不調が現れる、②検査しても臓器や器官に病的変化は認められない、という意味になります。

「不定愁訴」とは、たとえば「頭が重い」「気分が落ち込む」「めまいがする」など現れたり消えたりする不快な症状で、検査しても原因が不明なものをこう呼んでいます。

取り巻く環境はまだまだ未整理

自律神経失調症という呼び名は

自律神経失調症は医師の見解が分かれる“あいまい”な病気

日本独自のもので、欧米にはありません。しかし、じつは日本でもまだ正式な病名として公認されてはいません。そのため自律神経失調症のとらえ方は医師によってまちまちですし、治療方針も一定していないのが現状です。

たとえば、あくまでも器官や臓器の病変にこだわり「慢性胃炎」「過敏性腸症候群」など特定の病名をつけて治療にあたる医師もいますし、自律神経失調症を独立した病気と考えていない医師も多くいます。

自律神経失調症の定義

日本心身医学会の定義

種々の自律神経系の不定愁訴を有し、しかも臨床検査では器質的病変が認められず、かつ顕著な精神障害のないもの

これをわかりやすくいい換えると…

①自律神経の機能障害によって、心と体に原因不明のさまざまな不調が現れる

②病院で検査しても臓器や器官に病的変化は認められない

また、自律神経失調症は原因不明の症状に診断名を与える便利な存在として機能している側面もあります。医師の立場では「検査で異常がない、とりあえず自律神経失調症と診断しておこう」と考えるわけですが、患者さんにとっても今までの不快な症状にはっきりした病名がつき、安心する人が多いようです。

しかし、自律神経失調症と診断された患者さんの中には、神経症やうつ病、身体病がひそんでいる場合も多く、単なる「病気と健康のはざま」で片づけられないこともあるので注意が必要です。

このように自律神経失調症を取り巻く環境は、まだきちんと整理されていない状況にあります。

自律神経失調症になりやすい人とは？

発症にはその人の体質や性格、ものの考え方、とらえ方などが影響します。「近親者に同じ症状の人がいる」「ストレスを感じやすい」など、自分自身や周囲を見渡してみましょう。

ストレスに強いか弱いかは人によって違う

自律神経失調症は、さまざまなストレスや不規則・不健康な生活習慣が積み重なって起こります。しかし、同じような環境やストレスにさらされ、似たような生活習慣で暮らしていても、自律神経失調症になる人とならない人がいます。これは、一人ひとりのもって生まれた体質、性格、ものの考え方などが発症に影響しているためです。

ここで誤解しないでいただきたいのですが、自律神経失調症になったからといって、「性格が悪い」とか「精神力が弱い」ということでは決してありません。風邪をひく、ひかないに個人差があるように、ストレスに対する抵抗力は人によって違います。また、Aというストレスには強いがBというストレスには弱いというふうに、個人の中でもストレスへの適応能力はいろいろです。

また、生まれつきの体質や性格も、適切なトレーニング（7・8章参照）を行うことで、ストレスに強く自律神経失調症になりにくいタイプに変えていくことが可能です。

遺伝するわけではないが…

自律神経失調症の患者さんの中

発症しやすい人としにくい人

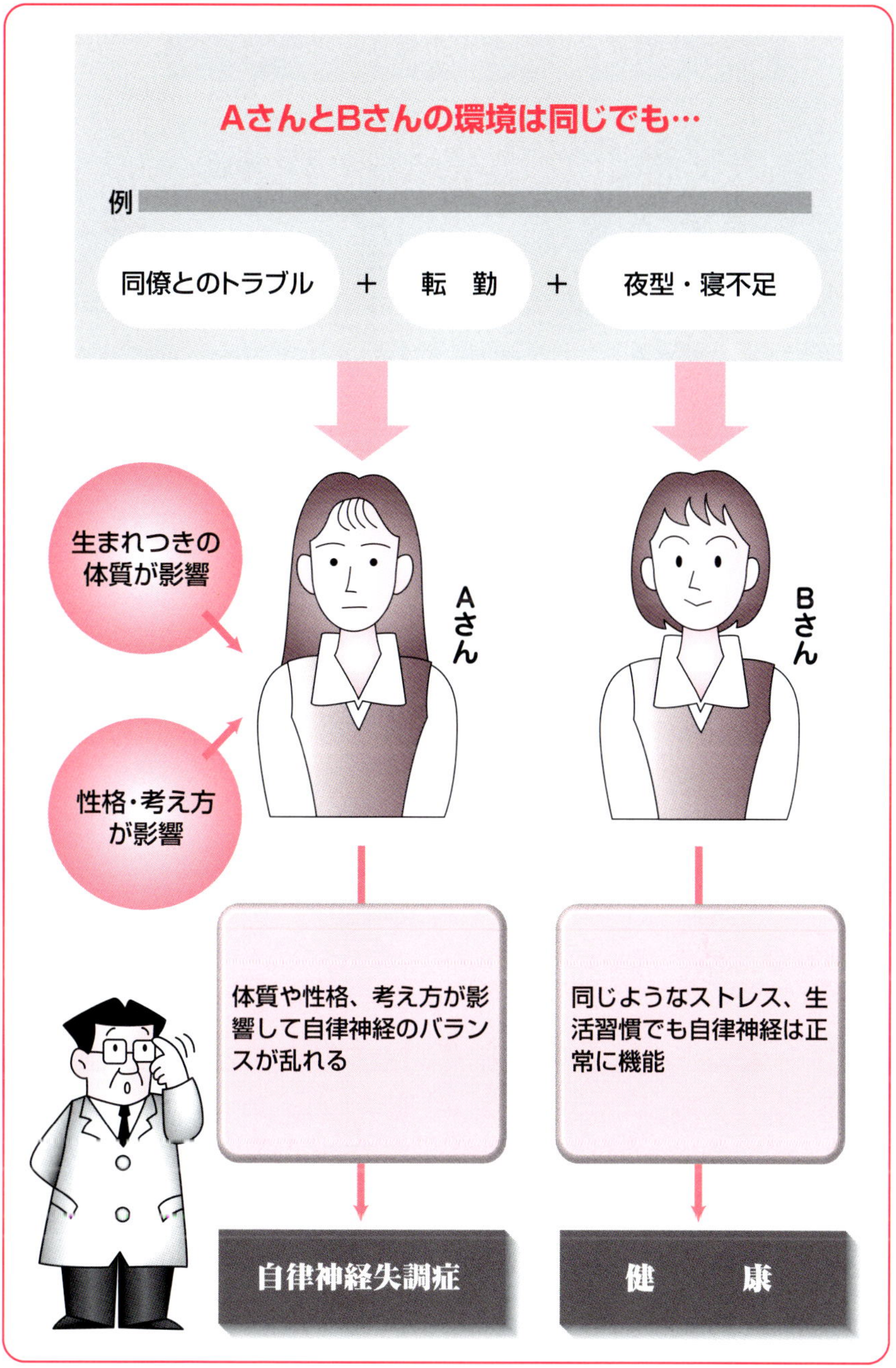
AさんとBさんの環境は同じでも…
例
同僚とのトラブル
＋
転　勤
＋
夜型・寝不足
生まれつきの体質が影響
性格・考え方が影響
Aさん
Bさん
体質や性格、考え方が影響して自律神経のバランスが乱れる
同じようなストレス、生活習慣でも自律神経は正常に機能
自律神経失調症
健　康

性格・ものの考え方

クヨクヨと考えがち
あのとき
……たら
……れば
権威に弱い
人に依存しがち
ささいなことが気になる
気持ちの
切り替えが
へた
周囲の目や
他人の評価が
気になる

には、両親や兄弟などの近親者に同じような症状を抱えている人がいるケースが少なくありません。

自律神経失調症それ自体が遺伝することはありませんが、自律神経の調整能力の低い体質を親がもっていた場合に、その体質が子どもに受け継がれることがあります。体質的に自律神経の調整力が弱いと、多くの人にとっては何でもないようなことが原因で自律神経のバランスが乱れ、症状が出てしまうのです。

このような体質をもっている人は、東洋医学的にみると、乳児期から虚弱体質で、いくら食べても太らない、下痢しやすい、冷え症などの傾向があります。

こんな人は自律神経失調症になりやすい！

体　質
やせ型
虚弱体質
アレルギー体質
下痢・便秘になりやすい
下剤
月経異常
乳児期によく夜泣きした
低血圧

性格や考え方が影響することもある

自律神経失調症になりやすい人の性格や考え方の特徴として、「クヨクヨ考えすぎる」「人の目や評価が気になる」「気持ちの切り替え方がへた」などがあげられます。

性格や考え方は、本人が自分で思っているものと、その奥にひそむ本質的なものが違うことが多々あるのでやっかいです。

ストレスを受けているという自覚のないまま、自分の気づかないところで継続的に無理をしてストレスをため込んでいるケースもあります。自律神経はこの本質の性格にも敏感に反応し、バランスをくずすと考えられています。

心身症とは違う病気？

「心因が影響して身体に異常が現れる疾患」といえば、まず心身症を思い浮かべる人が多いようです。でも、自律神経失調症とは症状が異なります。

心身症はどんな病気？

心身症という言葉を聞いたことがある人は多いと思いますが、どういうものかはよく知らない、という人が多いようです。

日本心身医学会によると、心身症は「身体疾患の中で、その発症や経過に心理・社会的因子が密接に関与し、器質的ないし機能的障害が認められる病態をいう。ただし神経症やうつ病など、ほかの精神障害に伴う身体症状は除く」と定義されています。

つまりストレスなどの心因により、たとえば十二指腸かいようのように実際に臓器に病変ができたり（器質的障害）、緊張型頭痛のように検査で異常はないが頭痛や肩こりが生じる（機能的障害）など、心の問題が影響して起きたり、悪化したりする身体の疾患を総称して「心身症」といっているのです。

自律神経失調症と似てはいるけれど…

心身症も自律神経失調症も、ストレスなどの心因が影響して起こるという点では同じですが、身体疾患の有無や症状の現れ方に違いがみられます。

心身症が身体の特定の臓器や器官に集中して現れるのに対し、自律神経失調症は消えたり現れたりする不安定な症状がいろいろな器官に起き、倦怠《けんたい》感などの全身症状を伴うことの多いのが特徴です。
このように自律神経失調症は心身症とは症状が異なりますが、経過の中で、身体疾患と心身症の診断が下されることもあります。

自律神経失調症と心身症のおもな違い

自律神経失調症		心身症
多数の器官に症状が現れる	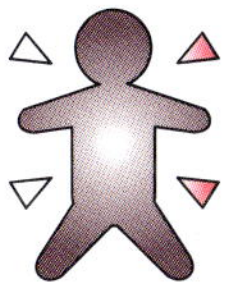	特定の器官に症状が集中する
明らかな身体疾患はなく、症状は不安定で消えたり現れたりする	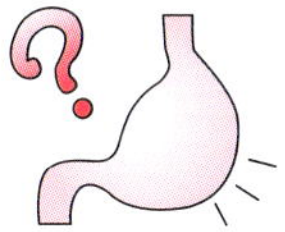	明らかな身体疾患がある
心因のほか、生活習慣の乱れ、体質などが影響する		心因がなく体質や生活習慣の乱れによるものは心身症ではない。またストレスなどの心理社会的問題があっても身体疾患の経過と無関係なら心身症ではない

BREAK ミニ・コラム

胃かいよう＝心身症、ではない

「仕事のストレスが高じて胃かいようで入院した」などという話をよく聞きます。胃かいようや十二指腸かいようは心身症の代表的な疾患ですが、同じように胃の粘膜がただれて胃かいようになっても、心因によらず、暴飲暴食など不規則な生活が原因の場合は心身症とはいいません。

また近年、成人してからぜんそくになる人が増えていますが、こちらはもしかしたらストレスが原因の心身症かもしれません。気管支ぜんそくのうち、発症がアレルギーや感染だけでは説明困難な場合は、心身症であると考えられます。

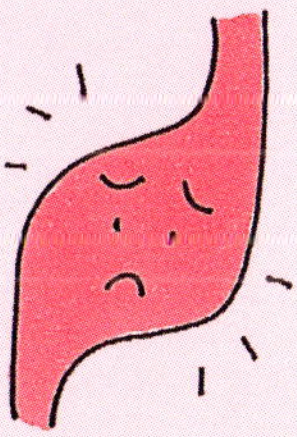

うつ病や神経症が隠れていることがある

うつ病や神経症（ノイローゼ）の中には、倦怠感や食欲不振などの身体症状を伴うものもあります。自律神経失調症が、最終的にこれらの精神疾患と診断されることもあります。

精神疾患がひそんでいることがある

発症に心のトラブルがかかわっていることから、自律神経失調症はうつ病や神経症などの精神障害の一部だと勘違いしている人が多いようです。

また、うつ病や神経症の中には、全身の倦怠《けんたい》感、めまいなど、検査で疾患名の診断ができない身体症状を伴うことがあり、病院が適切な診断をしないケースも少なくありません。

うつ病は、憂うつ感や興味の減退、焦燥などの精神症状とともに食欲低下、頭痛、疲労感などの身体症状も多く現れる病気です。また、近年では身体症状のほうが強く現れる「仮面うつ病」も増えてきています（コラム参照）。

一方、神経症には、漠然とした不安にとらわれる「不安神経症」、1日に何度も手を洗わないと気がすまないといった「強迫神経症」、自分は重病だと思い込む「心気神経症」などがあります。また、身体のさまざまな症状が繰り返し現れたり、その身体症状にこだわり続ける「身体表現性障害」というのも、神経症の一つといえます。これは、身体症状が主体です。

自律神経失調症と判断されたものの一部は、これらの精神疾患であることが明らかになることも多いのです。

精神障害の種類

精神障害

精神病性障害（精神病）	機能障害のほか、脳細胞やドーパミンなどの脳内物質の障害によって起こる重い精神障害 【おもな精神病】 ・精神分裂病 ・妄想性障害
気分障害	脳内の神経伝達物質のアンバランスなどで気分に異常をきたす 【おもな気分障害】 ・うつ病 ・躁うつ病
神経症（ノイローゼ）	心因や脳内の神経伝達物質のアンバランスによって起こる心身の機能障害 【おもな神経症】 ・不安神経症　・抑うつ神経症 ・強迫神経症　・恐怖症 ・心気神経症　・ヒステリー

BREAK ミニ・コラム

仮面うつ病に注意！

うつ病は、気分がひどく落ち込んだり意欲が低下するなど、精神面の症状が強く現れる病気です。

しかし近年では、うつ病は軽症化・身体化する傾向にあり、精神症状より倦怠感、頭痛、動悸《どうき》、食欲不振、息苦しさといった身体面の不調が強く現れるケースが増えてきています。身体症状が前面に出て精神症状を隠しているため「仮面うつ病」と呼ばれます。更年期障害などと間違われて適切な治療がなされない危険があるので、注意が必要です。

うつ病は、朝具合が悪く夕方に好転するなど、症状に日内変動があるのが大きな特徴。きちょうめんで仕事熱心、こり性、完璧主義の人がうつ病になりやすいといわれています。

自律神経失調症かなと思ったら

自律神経失調症は医学的な定義にあいまいな部分も多く、ほかの病気とはちょっと事情が違います。そんな自律神経失調症の特徴を知って、病院で診断を受けましょう。

自律神経失調症を理解するためのアプローチ

何らかの体調不良が続き、「もしかしたら○○の病気かも」と考えた人が最初にすることは、医学事典などを読み、その病気を知ることだと思います。確かに不具合を起こしている敵の正体がわかれば安心できますし、それだけ完治に向けた対処がしやすくなります。

もし、あなたが自律神経失調症を疑っているのなら、

①症状や原因に個人差が大きい。

②医学界における定義やとらえ方があいまいなため医師の意見や方針が不統一。

③ほかの疾患との区別がつきにくい。

④周囲の人に自分のつらさを理解してもらいにくい。

以上の自律神経失調症の特有の事情を知っておきましょう。また、これらはそのまま患者さんの悩みにもなっています。

インターネットで検索してみよう

実際に自律神経失調症にかかっている人の体験や悩みを知ることも、この症状を理解するうえで大いに役立ちます。

たとえばインターネットで「自律神経失調症」を検索すると、数千件の関連サイトがヒットしま

す。もちろん、すべての情報が正しいとは限りませんが、なかには自律神経失調症に悩む人をサポートするネットワークや療法の体験談など参考になるサイトも多くあります。また悩んでいるのは自分だけでないと知ることで、心の負担が軽くなることもあります。

自己診断は危険！ 早めに病院に行こう

自律神経失調症は命にかかわる病気ではありませんが、ときには重大な病気の前兆として自律神経失調症と似たような症状が出ることもあります。

　また、うつ病や神経症などの精神障害が隠れている場合も考えられますので、市販の心理テストやストレス度チェックなどをもとに自己診断をするのは危険です。

　まずは内科などを受診して器官や内臓に病変がないか調べてもらい、異常がなければ心療内科や精神科で精神障害の有無をチェックしてもらいましょう。

積極的にアプローチするのがいちばん！

症状の個人差、あいまいな定義など、特有の事情を理解しよう

インターネットなどを使って情報・仲間を集めよう

早めに病院へ行こう

女性に多い自律神経失調症

●ホルモン分泌のバランスの乱れが影響

自律神経失調症は年齢や性別を問わず、誰でもなる可能性がありますが、男性と女性を比べた場合、女性に多いという傾向があります。これは女性のほうがストレスに弱いというわけではなく、ホルモン分泌の影響を受けやすいからです。

思春期の初めに初潮を迎えてから更年期に閉経するまで、女性の月経は毎月一定のサイクルで変化する、ホルモン分泌の影響を受けて起こります。また、妊娠や出産、閉経によってもホルモンのバランスが乱れるため、不眠、涙もろさ、疲労、不安、いらだちなどが起こるマタニティーブルーや、ほてり、疲労感、情緒不安定などに悩まされる更年期障害が起こりやすくなってしまうのです。

ホルモン分泌を管理しているのは、脳の中にある視床下部《ししょうかぶ》と呼ばれる部分ですが、ここは同時に自律神経のコントロールセンターでもあります。そのため、ホルモン分泌のバランスが乱れると自律神経の働きにも乱れが生じ、自律神経失調症になりやすくなってしまうのです。

●40代後半からはとくに注意を…

とくに40代後半から50代前半の女性は、閉経によるホルモン分泌の変化の影響を受けやすく、また、ちょうど子どもが結婚・独立する時期に重なります。それまでの家族関係が、仕事で不在がちな夫より子どもとの結びつきが強すぎると、ホルモンの影響に加えて、「生きがいの喪失」から自分の進むべき方向を見失ってしまい、発症するケースも多くみられます。

なお、更年期障害は女性特有のものではなく、体の老化や仕事上のストレスなどによって、男性でも同様の症状を訴える人が増えてきています。

第2章

自律神経はこんな働きをしている

脳と神経細胞のカンケイ

「楽しい」「うれしい」「疲れた」「悲しい」などの気持ちはどこで生まれるのでしょう。ダメージを受けた心や体の回復……。じつは、心と体はすべて脳と神経細胞によって管理されています。

脳は心と体のコントロールセンター

私たちは毎日、何かを考え、感じて生きています。喜んだり悲しんだり、ときには傷ついて「心が痛い」と感じたりします。

じつは、これらの感情はすべて頭の中で起こっている現象です。脳の中には感情や思考、記憶、学習などを担当する地区があって、「心の機能」、つまり感情をつくり出しているのです。

一方、肝臓、腎臓、胃腸などの「体の機能」、たとえば手や足を動かしたり、心臓が血液を絶えず全身に駆けめぐらせているのも、個々のバラバラな働きというわけではなく、脳が神経細胞に指令を送り続けているおかげなのです。

暑いと汗をかき、寒いときは鳥肌が立つ、こんな現象も脳がコントロールしています。「暑い」「寒い」という情報をキャッチした感覚神経がそれを脳に送ると、体内温度を外部温度に応じて上下させるスイッチがオンになります。その結果、汗をかいたり鳥肌が立ったりして、体温を調節できるのです。

このように私たちの脳は、人間の思考や感情などの心と体の機能を動かす重要な役割を担っています。まさに、心と体のコントロールセンターといえるでしょう。

脳と心・体のつながりは？

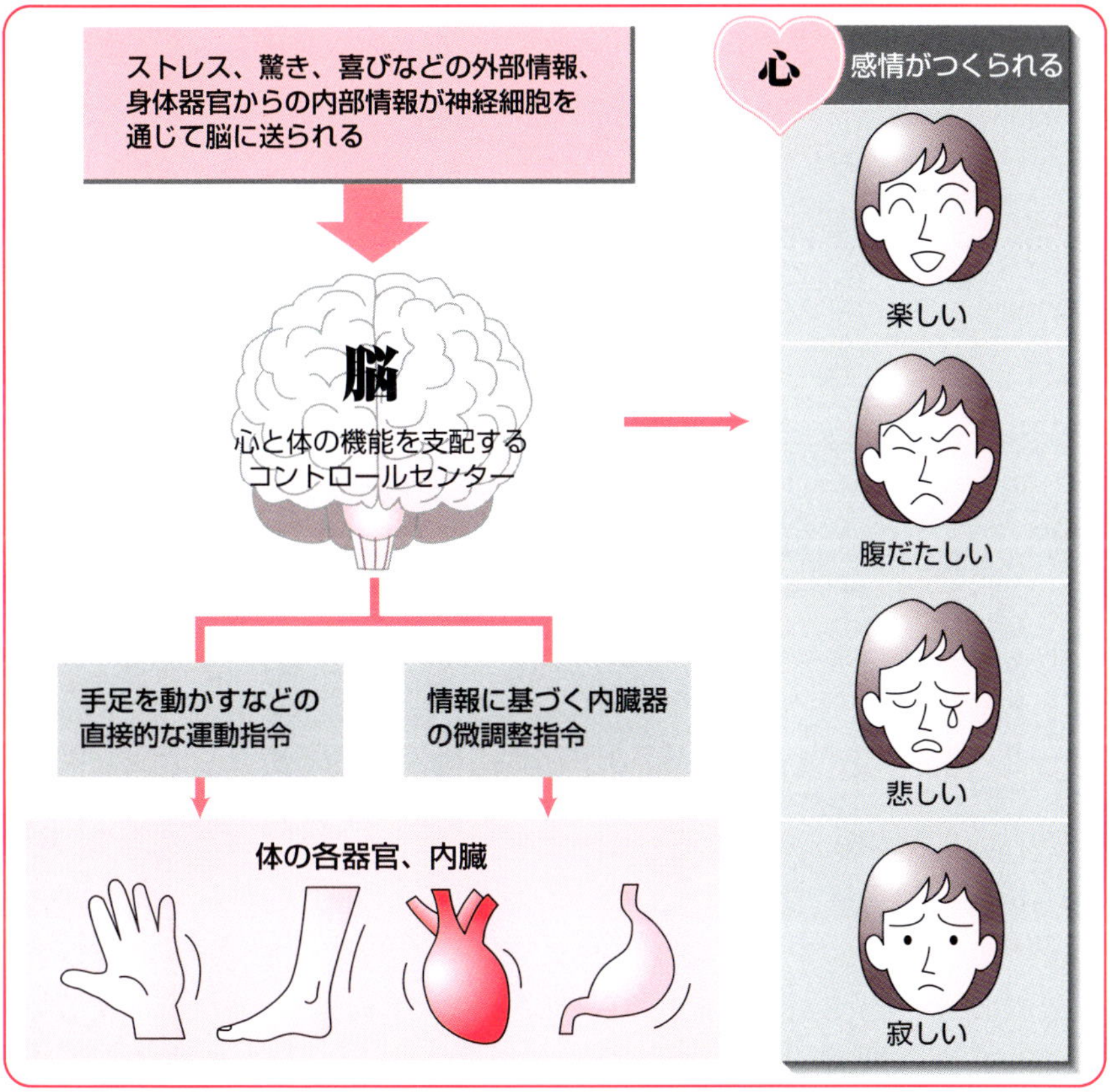
ストレス、驚き、喜びなどの外部情報、身体器官からの内部情報が神経細胞を通じて脳に送られる
脳
心と体の機能を支配するコントロールセンター
心
感情がつくられる
楽しい
腹だたしい
悲しい
寂しい
手足を動かすなどの直接的な運動指令
情報に基づく内臓器の微調整指令
体の各器官、内臓

BREAK ミニ・コラム

心はどこにある？

「せつなくやるせない思い」など、繊細で複雑な心……。自分自身でも突然わき上がった自分の感情にたじろぐくらい、心の中は複雑です。ですから、これらが脳の中の現象で、「心は頭の中にある」といわれても、ピンとこない人が多いようです。実際、「あなたの心はどこにありますか？」と質問すると、日本人をはじめ東洋人のほとんどは心臓周辺を指すそうです。確かに「心が重い」というと、心臓のあたりで何かがモヤモヤと動いているような感じがします。

漢字からもわかるように、かつて東洋では心は心臓に宿るものとされてきました。心や感情を特別なものとする東洋の文化が影響しているためと考えられています。

自律神経ってどんな神経？

生命を保つために必要な機能の微調整を自動的に行っている自律神経。人間が自分の意思で動かしたり止めたりできない部分の動きをコントロールしています。

自律神経は末梢神経に属するグループ

私たちの体には、頭の先からつま先まで神経が張りめぐらされていて、脳内での情報や、脳から体の各器官への指令を伝えています。このシステム全体を「ナーバスシステム」といいます。

ナーバスシステムは、大きく2つのサブシステムから構成されています。

脳と脊髄《せきずい》にある神経細胞のネットワークは「中枢神経」、もしくは「セントラル・ナーバスシステム」と呼ばれています。

一方、脳・脊髄から出て、全身の各部位をつないでいるのが「末梢《まっしょう》神経」です。自律神経は、この末梢神経システムに属しています。

体性神経と自律神経の違いは？

末梢神経は脳以外の場所にあり、体の各部位と直接コンタクトしています。その働きにより「体性神経」と「自律神経」に分かれ、さらにそれぞれ2つの神経システムからなっています。

体性神経は、自分の意思で体を動かすための神経で、「感覚神経」と「運動神経」があります。

感覚神経は、物をみたり聞いたり、熱さ・冷たさなどの情報を脳に送っている神経です。運動神経は、体の各部位を動かすために、

心と体の機能を管理するネットワーク

ナーバスシステム

中枢神経
（セントラル・ナーバスシステム）

脳と脊髄で構成される
神経ネットワークの
総合コントロールセンター

末梢神経

脳以外の場所にあり、神経繊維を通して体の各器官とさまざまな情報交換を行っている

自律神経

自分の意思とは無関係に体の機能を調整している神経。「植物神経」とも呼ばれる

交感神経

鼓動を速くしたり消化液の分泌をうながすなど、活動的な働きを担当している

副交感神経

鼓動、消化液の減少など、エネルギーの消費を抑える働きを担当している

体性神経

情報を脳に伝え、体の各部分を自分の意思で動かすための神経。「動物神経」とも呼ばれる

運動神経

手や足、口などの器官の動きを管理している

感覚神経

みたり聞いたりした情報、痛みなどの皮膚感覚を脳に伝える

脳からの指令を伝えています。

一方、自分の意思とは無関係に臓器や器官の微調整をしているのが自律神経です。自律神経には「交感神経」と「副交感神経」の2つがありますが、体性神経の場合とは異なり、同じ器官に対して反対の作用を行うことで全体のバランスをとっています。

ドキドキするのは自律神経のしわざ!?

自律神経は臓器や器官の働きのうち、自分の意思で止めたり速めたりできない部分の微調整を自動的に行っています。

たとえば、私たちは自分の意思で口を開けたり目を閉じたりできますが、心臓の鼓動を速めたり遅くしたりすることはできません。

一方、驚いたりスポーツをしたあとなどは、自然に鼓動が速くなります。これが、自律神経の働きです。

また、睡眠中はムダなエネルギーを消費しないよう基礎代謝が下がります。このとき、脳は血圧を下げ、心拍を少なくする指令を出しますが、翌朝目覚めればまた心拍が上がります。

このように、生命を維持しながら体が必要な休息をとれるよう、自動的に微調整を行っているのが自律神経です。

ところで、器官の中には自律神経と体性神経の両方の働きを受けているものもあります。

たとえば、呼吸。私たちが無意識のうちに24時間休むことなく呼吸できているのは、自律神経による自動調整のおかげです。

一方、意識して呼吸を止めたり大きく深呼吸する、これらは体性神経の働きによるものです。

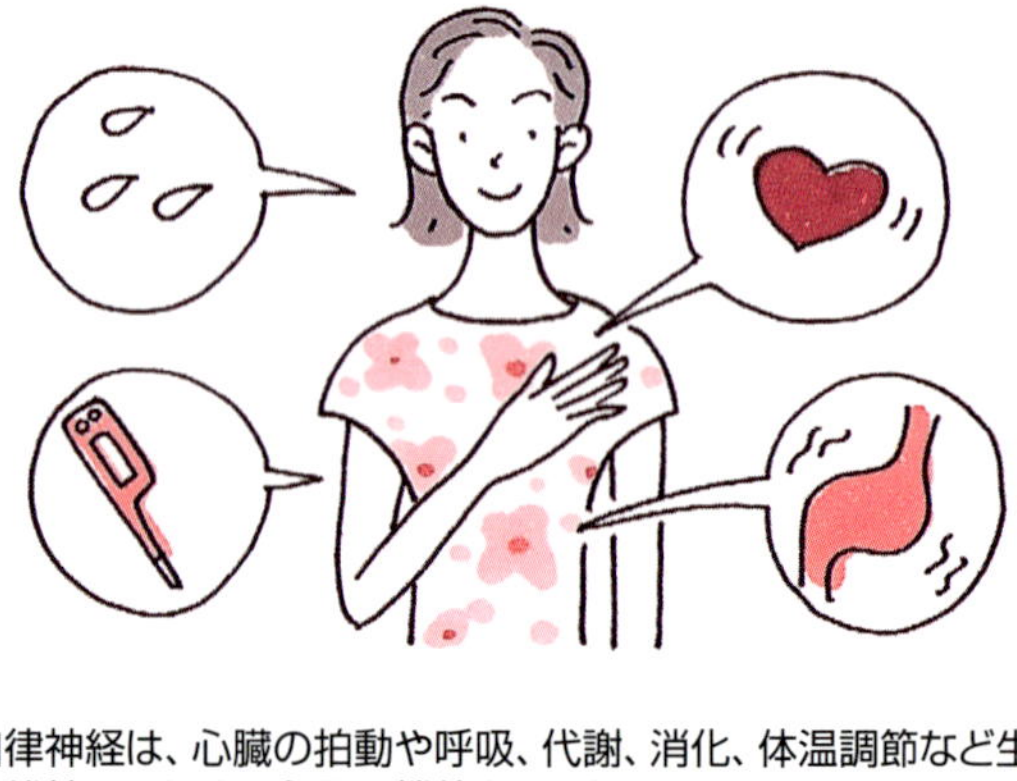

自律神経は、心臓の拍動や呼吸、代謝、消化、体温調節など生命を維持するために必要な機能をコントロールしている

自律神経はこんなふうに働いている

ジョギングなどのスポーツをしたときに鼓動が速くなる

暑いときに汗をかき、寒いときに鳥肌が立つ

自律神経の働き

スポーツによって消費した筋肉の酸素を補うために自律神経が鼓動を速めるよう反応。また運動によって上昇した体温を下げるために発汗機能をうながす

暑いときは上昇した体温を下げるために汗腺が開き、発汗作用をうながす。寒いときは毛穴が閉じて熱エネルギーの消耗を少なくする

BREAK　ミニ・コラム

神経システムの分担作業

私たちの日常生活のさまざまな活動は、神経システムの分担作業によって実現しているといえます。

たとえば、毎日の食事もその一つです。

口を動かして食べ物をかむのは体性神経の働きによるもので、「おいしい・まずい」といった味覚を伝えるのは感覚神経、そして体内に入った食べ物を消化するために胃や腸を動かしているのが自律神経です。

交感神経と副交感神経の働きは？

恐怖や緊張、怒りなどに反応する交感神経と、日常生活のスムーズな働きを助ける副交感神経は、状況に応じて臓器や器官に反対の作用を行っています。

2つの神経でバランスをとっている

自律神経は、交感神経と副交感神経から成り立っています。この2つの神経は、体の同じ器官に対して反対の方向に働く形で作用し、体の機能を調節しています。

一般に、交感神経は体の活動をうながす〝エネルギー消耗型〟の神経で、車にたとえるとアクセルの役目を果たしています。

これに対し、副交感神経は臓器や器官をリラックスさせる〝エネルギー保存型〟の神経で、ブレーキの役目を担当しています。

たとえば、恐怖や緊張を感じると交感神経が働いて、心臓の伸縮・脈拍の増加をうながし、いわゆる「ドキドキした状態」になります。一方、恐怖や緊張が解かれると副交感神経が作用し、心臓の伸縮・脈拍はゆっくりになり、落ちついた状態に戻ります。

また、心配ごとやストレスを感じたときに食欲がなくなってしまうのは、交感神経が胃腸の働きや消化液の分泌を抑制するからです。副交感神経は、逆に胃腸の働きを促進し、消化液の分泌をうながす作用を行います。

このように2つの神経は、次々に変化する体内や外部からの刺激に反応して自動的に切り替わり、臓器や器官の働きを調節してバランスをとっているのです。

交感神経と副交感神経のメカニズム

交感神経

・覚醒時や、怒り、恐怖、不安、緊張、危険が生じたときに働く
・心臓などの活動を増大させる
・エネルギー消費を増大させる

副交感神経

・睡眠中や安定している状態のときに働く
・心臓などの活動を減少、安定させる
・エネルギーを蓄えるように働く

交感神経と副交感神経は外部からの刺激、心の状態、時間などによって、お互いに休んだり働いたりして、全体のバランスを調整している

〈たとえば…〉

突然の恐怖や驚きで緊張すると…

交感神経
ON
副交感神経
OFF
心拍数が増加、ドキドキする

恐怖や驚きが去り、緊張が解かれると…

交感神経
OFF
副交感神経
ON
心拍数が減少、落ちつきを取り戻す

交感神経と副交感神経のルート

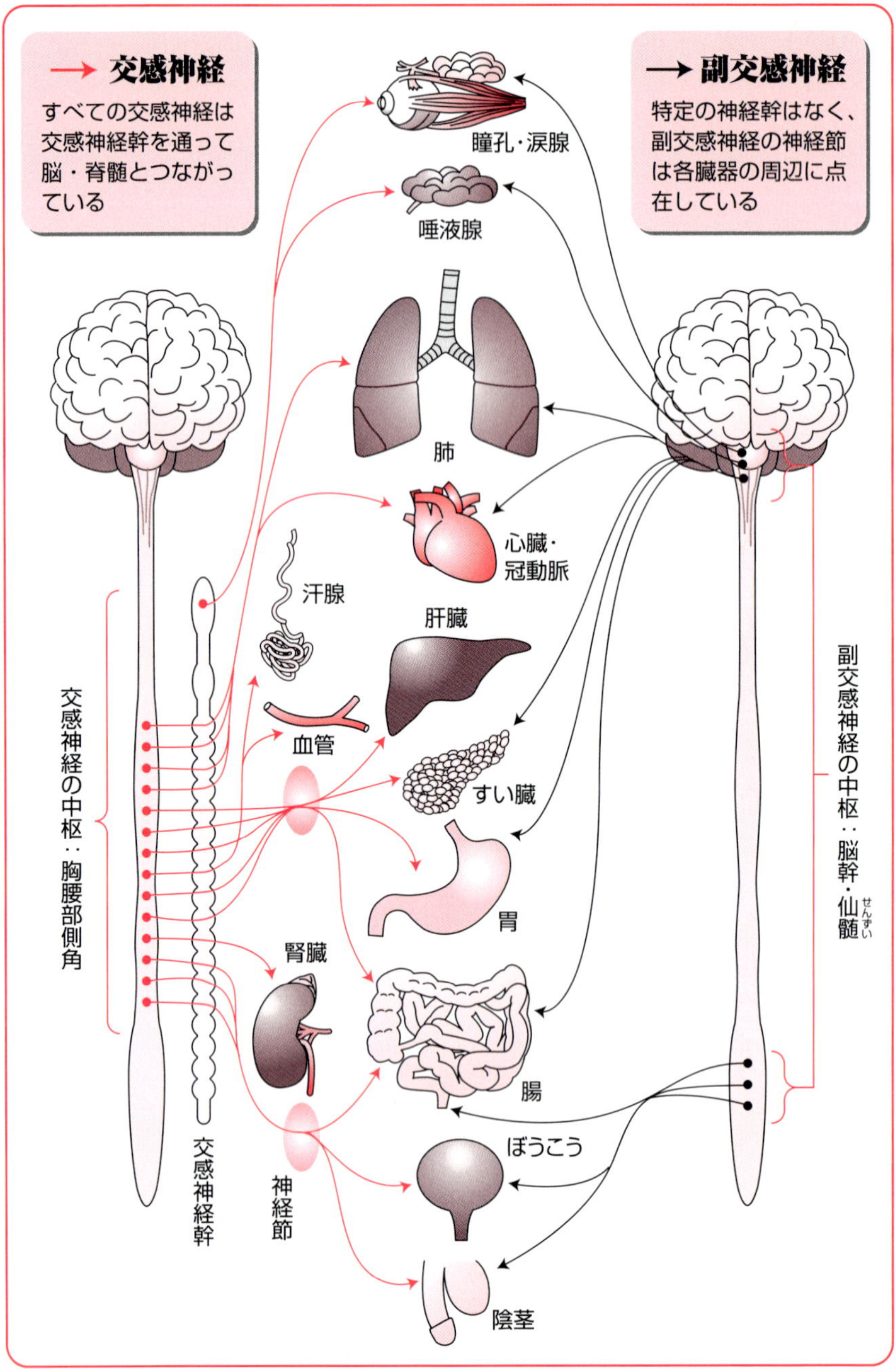
交感神経
すべての交感神経は交感神経幹を通って脳・脊髄とつながっている
副交感神経
特定の神経幹はなく、副交感神経の神経節は各臓器の周辺に点在している
瞳孔・涙腺
唾液腺
肺
心臓・冠動脈
汗腺
肝臓
血管
すい臓
胃
腎臓
腸
ぼうこう
陰茎
交感神経の中枢：胸腰部側角
交感神経幹
神経節
副交感神経の中枢：脳幹・仙髄《せんずい》

2つの神経のおもな作用

器　官	交感神経	副交感神経
瞳《どう》　孔《こう》	拡大する	収縮する
涙《るい》　腺《せん》	分泌を抑制	涙を生産
唾液腺《だえきせん》	少量で濃度上昇	多量で濃度低下
肺	肺気管支の拡張	肺気管支の収縮
汗　腺	汗が濃くなる	汗が薄くなる
冠動脈	収縮する	拡張する
心　臓	心拍数の増加	心拍数の減少
血　圧	上昇する	下降する
皮　膚	収縮する	拡張する
胃　腸	働きを抑制	働きを促進
消化管	消化液の分泌抑制	消化液の分泌促進
肝　臓	グリコーゲン分解を促進	胆汁放出の促進
立毛筋	収縮して鳥肌が立つ	弛緩する
陰　茎	血管が収縮(射精)	血管が拡大(勃起)
子　宮	収縮する	弛緩する
ぼうこう	排尿を抑制	排尿を促進

BREAK　ミニ・コラム

季節の変わり目は自律神経失調症になりやすい？

自律神経の働きには、一定のリズムや周期があります。たとえば、私たちが昼間起きて活動しているときは交感神経が活発に働き、睡眠中は副交感神経が活躍します。

また、気温の高い夏は副交感神経が、寒い冬は交感神経が活発になります。季節の変わり目は体調をくずしやすくなりますが、これは急激な温度変化が影響し、自律神経が不安定になるためです。ですから、季節の変わり目は、自律神経失調症になりやすい時期といえます。

脳と自律神経はどうつながっているの？

自律神経は本人の意思とはかかわりなく内臓や器官に作用しますが、この働きは脳の指令によるものです。自律神経は、脳の中の視床下部にコントロールされています。

視床下部が自律神経の指令部

自律神経は、体の各器官に作用して生命を維持するのに必要な機能を調整していますが、この自律神経の働きは、脳によってコントロールされています。

脳は大きく分けて「大脳」「小脳」「脳幹」の3つのパートからなっています。このうち、自律神経を直接支配しているのは、生命維持に重要な役割を果たしている脳幹の、さらに間脳という部分にある「視床下部《ししょうかぶ》」です。

視床下部はその下につながる脳幹、脊髄《せきずい》と連絡し、自律神経の中枢として交感神経と副交感神経に指令を送っています。

本能的な欲求や情動に視床下部が反応する

視床下部は、脳幹、脊髄と連絡するとともに、間脳をぐるりと取り囲んでいる大脳からの情報入力も受けています。

大脳は「大脳新皮質《しんひしつ》」と「大脳辺縁系《へんえんけい》（大脳古皮質《こひしつ》）」の2つのエリアに分かれています。

大脳新皮質は、ものを知覚・思考・判断し、計画を立てて行動するなど、人間特有の高度な精神活動をつかさどる部分です。知性や理性もここで生み出され、俗に「知性脳」などと呼ばれます。

一方、大脳辺縁系は「情動脳」

ともいわれ、食欲や性欲などの本能的欲求や、生理的な快・不快、怒り、驚き、恐れといった情動をつかさどっています。

視床下部は、この大脳辺縁系の影響を強く受けています。

たとえば、ドライブ中に急に自転車が飛び出してきたとしましょう。このとき大脳辺縁系に「驚き」が生じ、これに反応した視床下部は自律神経の交感神経を興奮させます。

こうして交感神経は心臓の鼓動を速めたり、顔を青ざめさせるなどの作用を起こすのです。

脳の基本構造

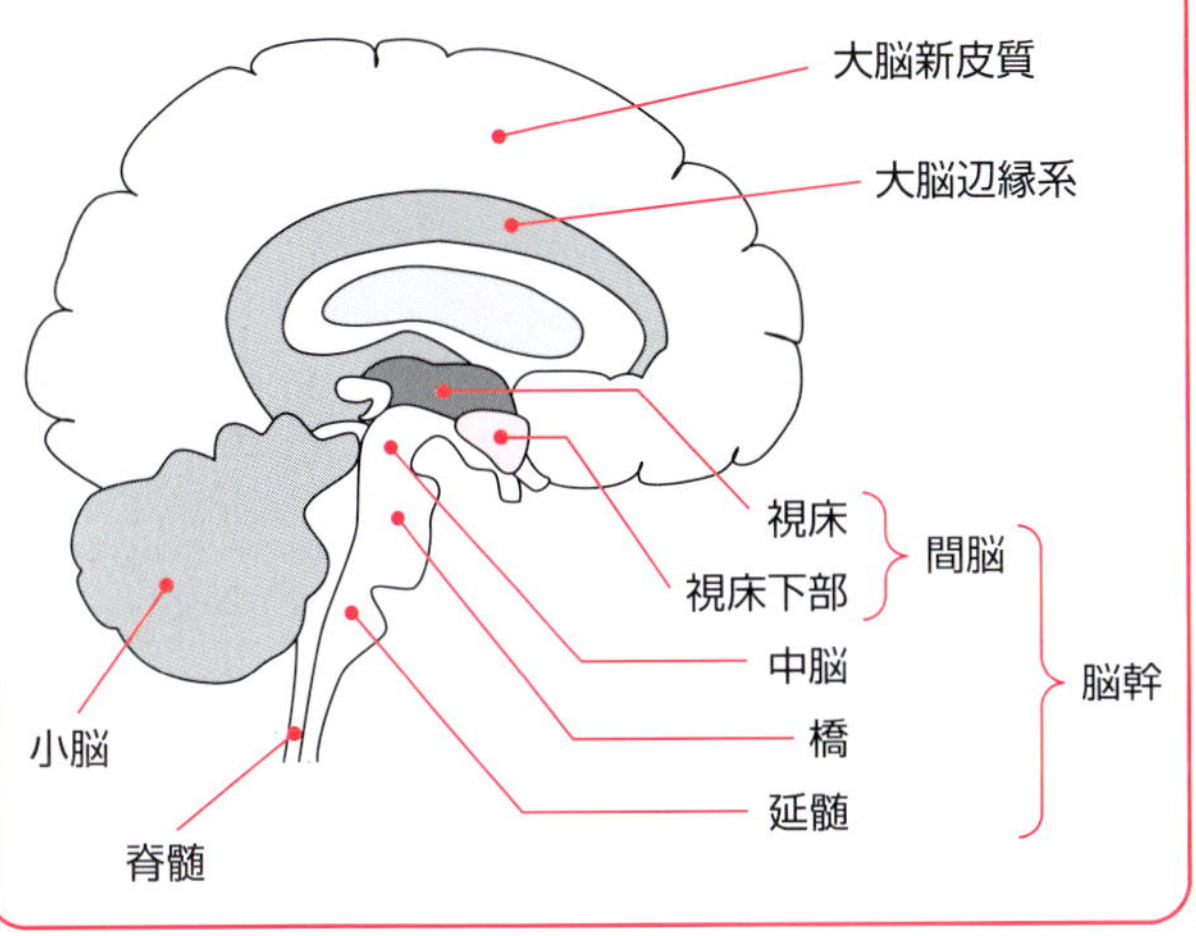
大脳新皮質
大脳辺縁系
視床
視床下部
間脳
中脳
橋
延髄
脳幹
小脳
脊髄

脳はこんなふうに反応している

（例）ドライブ中、急に自転車が飛び出してきたら…

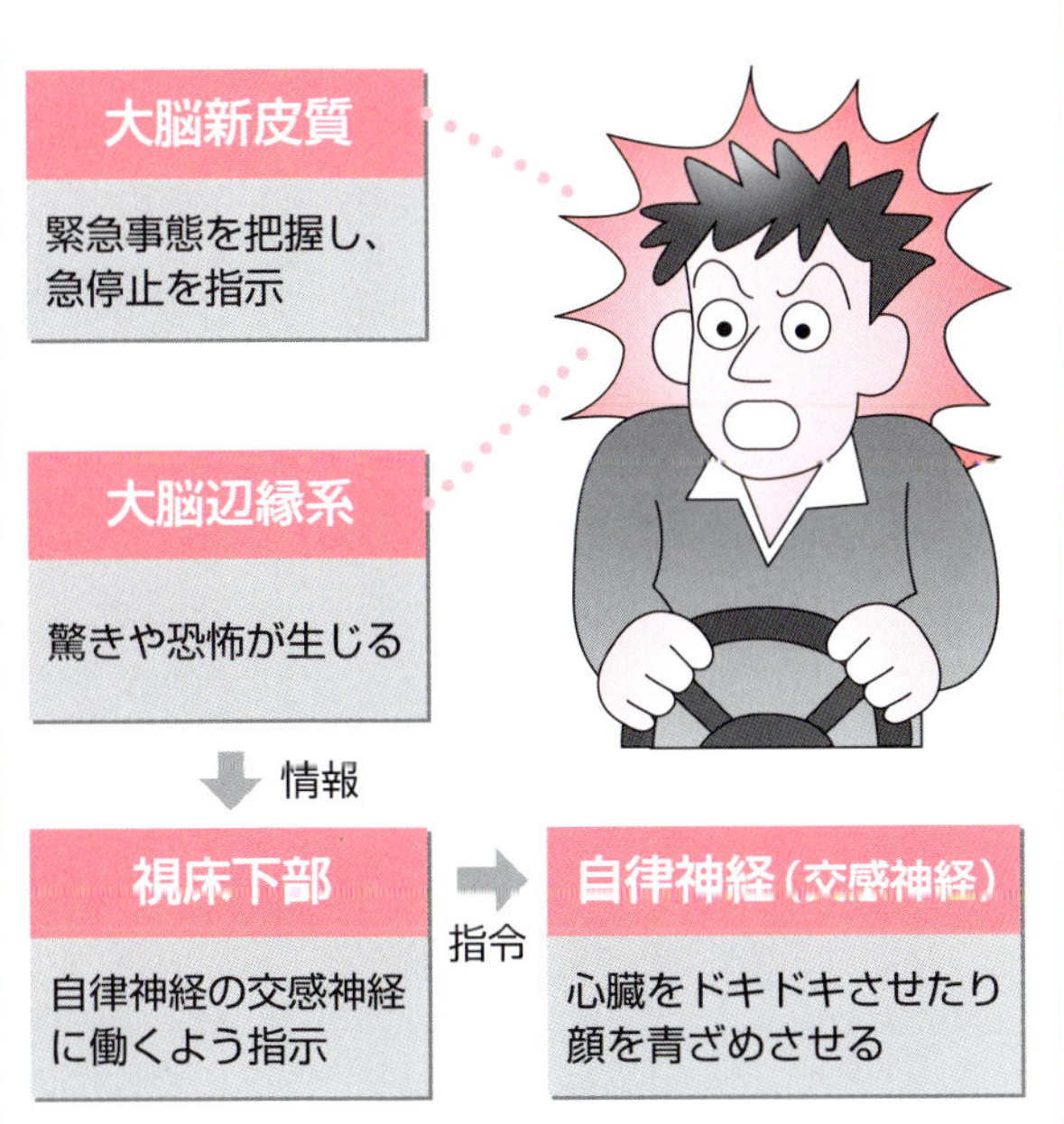
大脳新皮質
緊急事態を把握し、急停止を指示
大脳辺縁系
驚きや恐怖が生じる
情報
視床下部
自律神経の交感神経に働くよう指示
指令
自律神経（交感神経）
心臓をドキドキさせたり顔を青ざめさせる

体内の環境を快適にするホメオスタシス

人間の体は、環境の変化に対して一定の状態を保とうとするホメオスタシス機能によって守られています。外からの刺激や働きかけに反応して、体内を心地よい環境にしようと働いているのです。

視床下部はコントロールの名手！

視床下部《ししょうかぶ》は、自律神経の中枢であるだけでなく、ホルモンの分泌や免疫系の調整にも重要な役割を果たしています。自律神経、ホルモン系、免疫系の機能調整を通して体の恒常性（ホメオスタシス）を保っているのです。

「ホメオスタシス」とは、外部の環境変化に対して体内の環境をいつも一定に保って生存を確保しようとする働きです。

たとえば、暑いときに汗をかいて体温調節を行う、お腹がすくと空腹を感じて食物を摂取する、水分が必要になるとのどが渇いて水分補給をする、というような行為を考えてみてください。

これらはごく当たり前のことのようですが、もし、体温が高くなったときに「下げよう」とする機能が働かないと汗も出ず、熱は体にこもったまま、ということになってしまいます。体温を下げよう、というような働きは、ホメオスタシスを保つためにあらかじめ脳にプログラミングされているものなのです。

自律神経は発汗や消化活動の促進や減少を行うことで、ホメオスタシスがきちんと作用するよう、その働きを助けています。

また、夜や落ちついている状態のときは副交感神経を働かせて臓器を休め、活動的な昼間や興奮状態のときは交感神経を働かせて体のコンディションを保つのも、ホメオスタシス作用によるものです。

ホメオスタシスの働きがくずれると…

このように私たちの体はホメオスタシスによって、うまくコントロールされています。

ところが、不規則な生活やストレスなどによって過度の負担がかかると、情報を処理しきれなくなった視床下部に混乱が生じてしまいます。そのため交感神経と副交感神経の切り替えがうまくいかず、どちらか一方がずっと働き続けるなど、自律神経のバランスがくずれてしまうのです。

また、自律神経の乱れは免疫機能やホルモン分泌にも影響します。逆に、免疫・ホルモン系の異常が自律神経に影響することもあり、自律神経失調症のさまざまな身体症状がより現れやすくなってしまいます。

ホメオスタシスと自律神経の関係

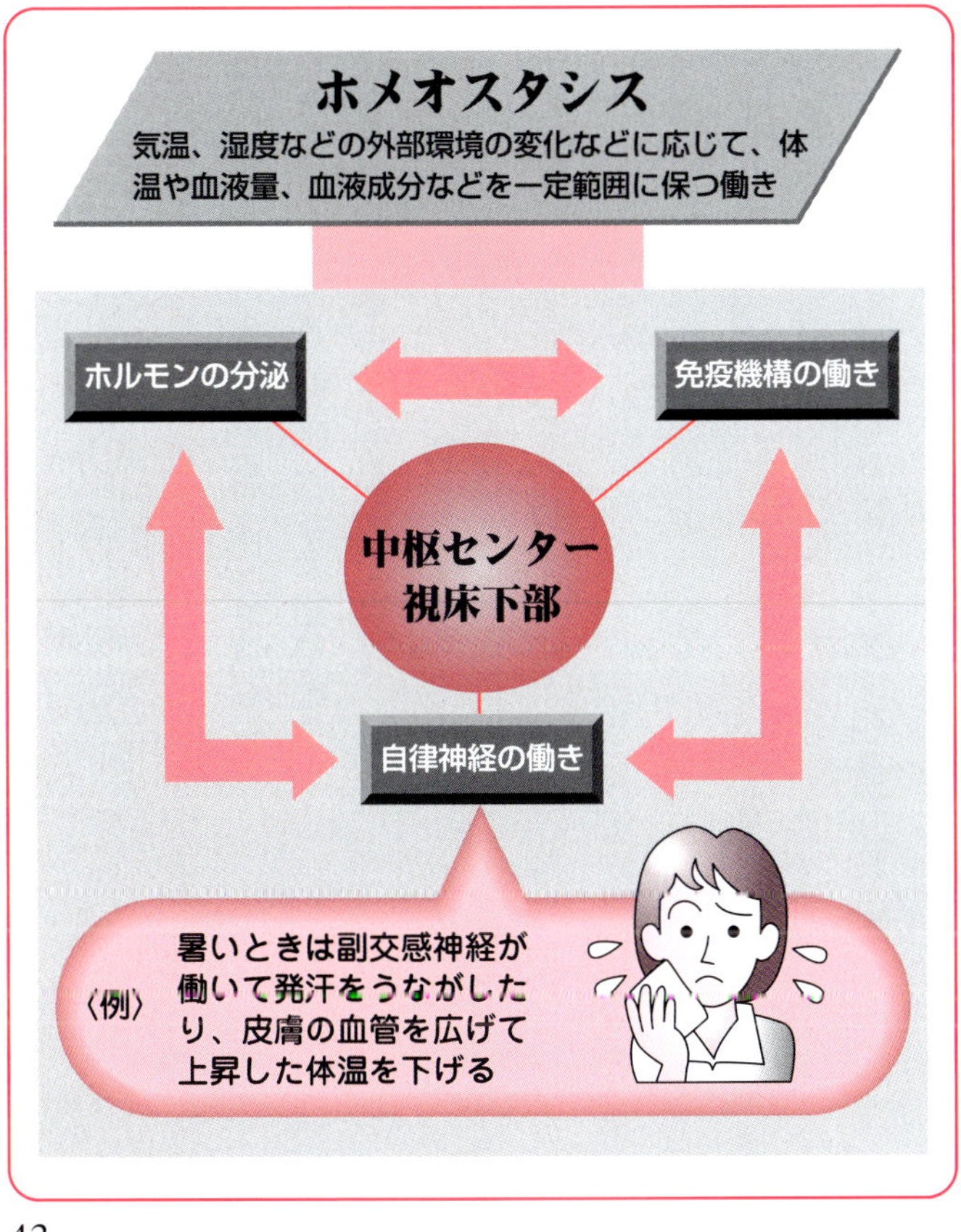
ホメオスタシス
気温、湿度などの外部環境の変化などに応じて、体温や血液量、血液成分などを一定範囲に保つ働き
ホルモンの分泌
免疫機構の働き
中枢センター
視床下部
自律神経の働き
〈例〉
暑いときは副交感神経が働いて発汗をうながしたり、皮膚の血管を広げて上昇した体温を下げる

自律神経は心の動きに反応する

自律神経失調症の原因は、「不規則な生活などでホメオスタシスがくずれること」だけではありません。精神的な負担や感情の抑制が、自律神経に影響を与えて起こる場合があります。

喜怒哀楽が抑制されると自律神経が乱れる

2章では、自律神経の働きについて述べてきました。最後にストレス・感情と自律神経の関係をみてみましょう。

脳の各部位にはそれぞれ異なる役割がありますが、神経細胞によってつながっているためお互いに連絡を取り合い、影響し合うしくみになっています。

自律神経の中枢である視床下部《ししょうかぶ》は、動物が生きていくうえで必要な本能的な行動、生理的な快・不快などの感情をつかさどっている大脳辺縁系《へんえんけい》の影響を強く受けています。さらに大脳辺縁系は、理性や理論的な考え方で判断する大脳新皮質《しんひしつ》による支配を受けています。つまり、私たちは理性と本能という、相反する2つの感情のバランスをとりながら毎日暮らしているといえます。

しかし、何か本能的な喜怒哀楽にかかわるできごとが起こったときに、理性が強く働いて感情を抑制してしまうと、大脳新皮質と大脳辺縁系の間にひずみが生まれて、情報がうまく伝わらなくなります。その結果、たとえば「つらい」「泣きたい」「食べたい」などの感情が不自然に処理されて伝わるため、視床下部は自律神経をうまくコントロールできなくなり、やがて自律神経失調症が起こると考えられています。

精神的ストレスが長く続くと…

交感神経は驚いたり不愉快な感情に反応して機能を開始しますが、通常は驚きや不快感がなくなると副交感神経が働いて安定した状態に戻ります。

ところが長期にわたってストレスが続くと、交感神経はずっと興奮した状態のままになってしまい、副交感神経との切り替えがうまくいきません。

そのため視床下部の管理機能がうまく働かなくなり、自律神経のバランスが乱れていくと考えられています。

心の状態と自律神経

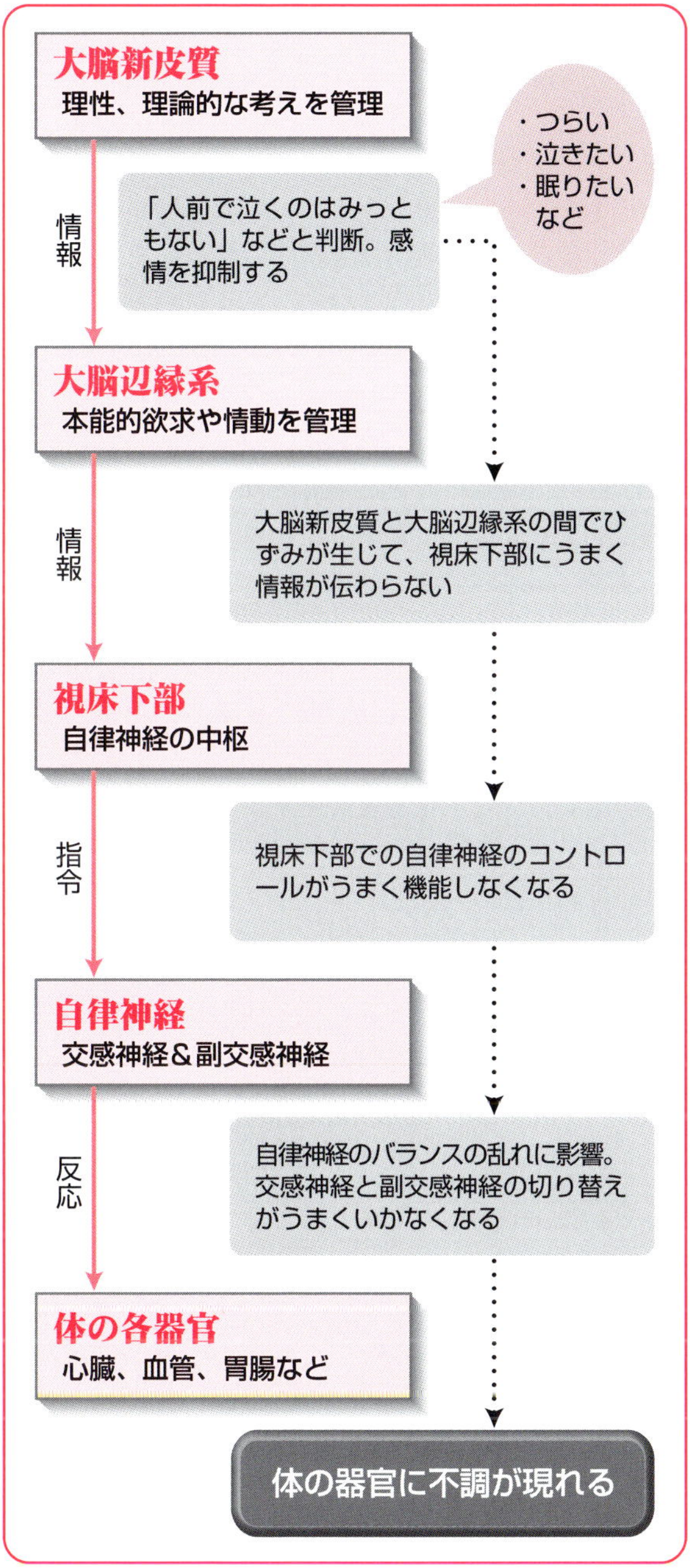
大脳新皮質
理性、理論的な考えを管理
・つらい
・泣きたい
・眠りたい
など
「人前で泣くのはみっともない」などと判断。感情を抑制する
情報
大脳辺縁系
本能的欲求や情動を管理
大脳新皮質と大脳辺縁系の間でひずみが生じて、視床下部にうまく情報が伝わらない
情報
視床下部
自律神経の中枢
視床下部での自律神経のコントロールがうまく機能しなくなる
指令
自律神経
交感神経＆副交感神経
自律神経のバランスの乱れに影響。交感神経と副交感神経の切り替えがうまくいかなくなる
反応
体の各器官
心臓、血管、胃腸など
体の器官に不調が現れる

喜怒哀楽を生み出す神経伝達物質

●幸せな気分をつくるドーパミン

脳内の神経細胞はドーパミンやアセチルコリン、セロトニンなどの神経伝達物質を放出して情報を伝え合っていますが、感情に関する神経伝達物質の多くは、脳幹に沿って並ぶ神経細胞の大集団を経て脳内に伝えられます。ここには、快感ホルモンと呼ばれるドーパミンや、怒りや不安を伝えるノルエピネフリン、恐怖や緊張を生み出すエピネフリンを分泌する神経細胞がいっぱい詰まっています。

３つの神経伝達物質の役割は違いますが、その構成成分はほとんど同じです。ドーパミンに酸素原子が一つ加わるとノルエピネフリンに、さらに炭素原子が一つ増えるとエピネフリンになります。いわば喜怒哀楽を生産する兄弟の神経伝達物質ですが、これらの働きにより私たちは幸せな気分を味わい満足したり、悲しみや怒りで心が痛くなったりするのです。

●神経伝達物質の受け渡しがうまくいかないと…

ドーパミンは人間に幸福感を与えてくれるありがたい神経伝達物質ですが、レセプター（受容体）の機能に異常が生じて過剰に受け取りすぎてしまうと精神分裂病を、分泌が極端に少なくなるとパーキンソン病を引き起こすことがわかっています。

また、人間は精神的に追い詰められたり、強いショックを受けると神経伝達物質の流れが悪くなります。これが原因で自律神経の機能がうまく作用しなくなることがあると考えられています。

第3章

体と心に現れる症状のいろいろ

体と心のあちこちに起こる不調

自律神経失調症の症状は、人によってじつにさまざまです。複数の器官に異なる不調を訴える場合も多く、症状が移り変わっていくのも特徴であるといえます。

全身にみられる多彩な症状

自律神経失調症になると、自分ではとくに思い当たることがないのに、疲労やだるさを慢性的に感じ、体の各器官にさまざまな不調が現れます。また多くの場合、気分の落ち込みやイライラなどの不快な精神状態に悩まされることになります。

1章で触れたように症状の現れ方は千差万別で、これといった定番の症状はありません。一つの不調が長く続く人もいれば、突然消えたかと思うとまたぶり返すといったように不安定な場合があります。さらに調子の悪い部分が複数の器官に現れたり、次々に新しい器官に移っていくことがあり、多彩な症状に振り回されることも少なくありません。

自律神経失調症のこのような特徴は、2章で述べたように交感神経と副交感神経の切り替えがうまくいかなかったり、視床下部《ししょうかぶ》のコントロールの乱れによって起こります。自律神経は全身のさまざまな器官に張りめぐらされているため、その症状も姿を変えて、全身のあちこちに現れるのです。

個人差が大きいのも特徴の一つ

体のあちこちの不調が各人によって異なるのも、自律神経失調症

自律神経失調症の症状と特徴

1 全身に現れる症状
めまい、微熱、ほてり、倦怠感、食欲不振など

2 器官に現れる症状
頭痛、耳鳴り、息切れ、胸部不快感、下痢など

3 精神に現れる症状
イライラ、無気力、不安、落ち込み、集中力低下など

特徴1
さまざまな症状があり個人差が激しい

特徴2
ストレスの度合いや性格が影響する

特徴3
症状は不安定で一定していないことが多い

特徴4
ほかの疾患とまぎらわしい症状が多い

の大きな特徴です。ある人は「肩こりがして息苦しく、だるい」、ある人は「耳鳴りがして、夜眠れない」といったように、一人ひとり症状は違います。

　また、同じ頭痛であっても、ズキズキ痛む人もいれば、ジーンと痛いという人もいますし、寝込むほど重症になる人もいれば、不調に悩まされてはいるものの日常生活はふつうに送れるという人もいます。

　これは自律神経失調症が、その人の体質や生活習慣、性格などと深くかかわっていて、不調が弱い部分に出る傾向があるためです。各人の悩みやストレスの度合いによっても、症状は変わってくると考えられています。

耳

・耳鳴りがする
・異物感を感じる

口

・味覚異常
・唾液がたまる
・口が渇く

首

・首が痛い
・首が回らない

心臓・胸部

・動悸がする
・胸部圧迫感
・胸が痛い

背中・腰

・背中が痛い
・腰が痛い

消化器

・吐き気がする
・食欲がない
・消化不良
・下痢、便秘
・ガスがたまる

腹　部

・膨満感がある
・下腹部が張る
・絶えずゴロゴロする

血管・皮膚・関節・筋肉

・血圧上昇
・多汗、汗が出ない
・皮膚がかゆい、皮膚感覚がおかしい
・関節が痛い
・筋肉痛

生殖器

・勃起障害、早漏
・不感症
・生理痛、生理不順
・かゆみ

全身に現れる症状

めまい、ほてり、冷え、倦怠感、微熱、不眠、眠りが浅い、日中眠くなる、すぐに起きられない、疲れやすい、力が入らない、フラフラする、立ちくらみがする、体温が頻繁に変わる

精神に現れる症状

ふさぎ込む、落ち込む、イライラする、不安を感じる、気分がよく変わる、意欲が低下する、寂しさ・悲しさ、孤独を感じる、短気になる、集中力が低下する、記憶力が低下する、情緒不安定になる、人と会いたくない、細かいことが気になる

体・心に現れやすい症状

頭部
・頭痛、片頭痛

目
・涙目
・目が疲れる、痛い
・異物感がある

のど・食道
・異物感、圧迫感がある
・物が飲み込めない

肩
・肩こり
・肩が張る

呼吸器
・息苦しい
・息切れ
・息が吸えない感じがする

手・腕
・しびれる
・力が入らない
・指先が冷たい
・けいれんする
・指先が震える

ぼうこう
・残尿感がある
・尿が出にくい
・トイレが近い

足
・だるい
・しびれる
・震える
・痛い
・足先が冷える

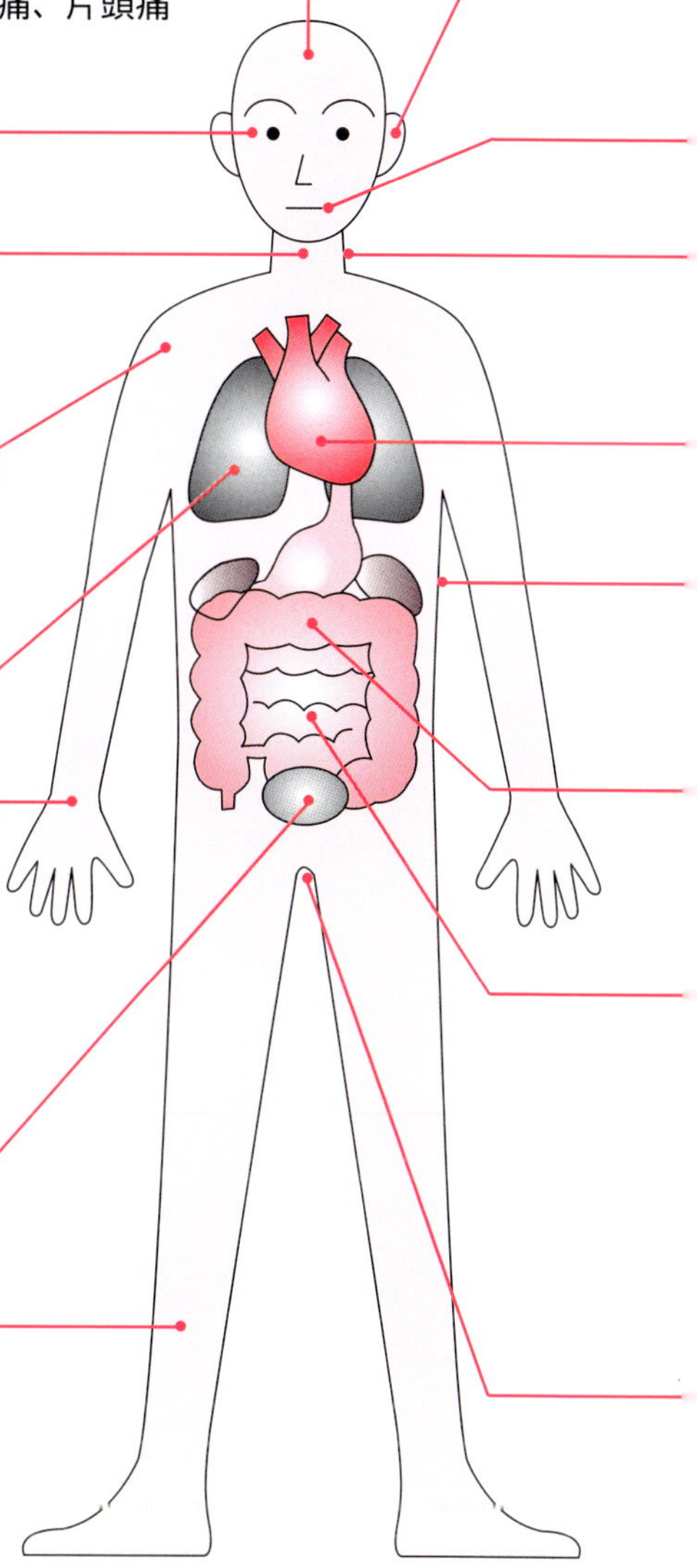

疲労、めまい、食欲不振など全身に現れる症状

慢性的な疲労感、倦怠感、不眠、めまい、ほてりが自律神経失調症の代表的な全身症状です。「いつもとどうも違う」「体調が悪い」と気づくのも、こんな自覚症状がきっかけとなることが多いようです。

こんなサインに要注意！

自律神経失調症のさまざまな症状のうち全身症状の代表的なものが、慢性的な疲労感、倦怠感《けんたい》、睡眠障害、めまい、ほてりなどです。

全身症状は比較的初期の段階から現れるため、これによって自律神経失調症を疑う人も少なくありません。

健康な人は多少疲れても2～3日で回復しますが、自律神経の失調による疲労は日を追うごとにひどくなり、何をやるのもおっくうな気分になるのが特徴です。

視床下部の混乱が全身症状を引き起こす

自律神経失調症のさまざまな症状は、交感神経と副交感神経の切り替えがうまくいかずに起こる場合と、自律神経を管理している視《し》床下《しょうか》部《ぶ》に混乱が生じて起こる場合があります。

全身症状は後者のタイプで、理性をつかさどる大脳新皮質《しんひしつ》と、本能・感情を管理している大脳辺縁《へんえん》系《けい》の間にひずみが生まれ、視床下部でのコントロールがうまくいかなくなったときに起こります。

また30代後半以降の女性の場合、更年期障害によるホルモン分泌の減少が影響して自律神経失調症が起こり、このような症状が現れることがあります。

おもな全身症状と特徴①

症　状	特　徴
倦怠感 疲労感 	自律神経失調症の中でも非常に多くの人が訴える症状。体力を消耗することを特別していないのに、いつも全身がだるい、疲労感が続く、全身に力が入らないなどの不調がみられる。ひどくなると起きることができなくなるほどの疲労感を覚える
めまい 立ちくらみ 	めまいには、①周囲がグルグル回るようなめまい、②自分自身がフラフラするめまい、の2種類がある。自律神経失調症に多いのは後者のタイプ。急に立ち上がったときにふらついたりする立ちくらみもよくみられる症状

おもな全身症状と特徴②

症　状	特　徴
微熱 	女性の場合、妊娠中や排卵日から月経までの約２週間は基礎体温が平常より少し高くなる。そうした期間ではなく、またとくに体の異常がないのにだるさを伴う37℃ぐらいの微熱が毎日続く
全身のほてり 冷え 	気温や室温と関係なく突然体が熱くなり、そのあと多量の汗をかく。逆に、ほかの人が寒く感じないときに寒気を覚えたり、体が急に冷えるという不調が起こることもある

疲労、めまい、食欲不振など全身に現れる症状

症　状	特　徴
食欲不振 	お腹が空いているのに食べ物をみても食べたくない、食べ物をみると吐き気がする、食べてもムカムカするなど
睡眠障害 	ベッドに入ってもなかなか寝つけない、眠りが浅くすぐ目が覚めてしまう、朝、目が覚めたときに疲労感が残っているなど。また「今夜もよく眠れないのでは」という緊張感から、さらに眠れなくなるという悪循環に陥る場合がある。不眠と逆に、四六時中眠いという症状が現れることもある
筋肉痛 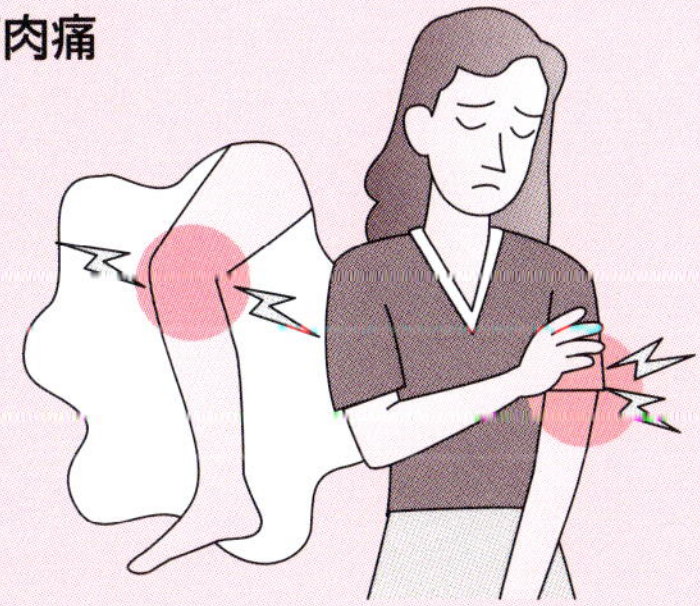	運動をしていないのに体の筋肉が重く感じる。筋肉や関節が歩けなくなるほど痛む場合もある

頭痛、目の疲れ、耳鳴りなど器官に現れる症状

身体症状は交感神経と副交感神経のバランスの乱れによって起こります。薬の服用などで一時的に症状が治まっても、根本的な原因が解決しない限り、やがて不調がぶり返します。

症状はあるのに異常がみつからない

視床下部《ししょうかぶ》でのコントロールの乱れが根底にある全身症状に対し、体の各器官に現れる不調は、交感神経と副交感神経の切り替えがうまくいかないことによって起こります。

症状の出る器官は全身に及び、不調の程度も個人によって異なりますが、いずれも病院での検査では異常はみつからないのが大きな特徴です。

器官の異常がないのに不調が現れるわけは？

たとえば「のどの奥が詰まった感じがして息苦しい」という症状に悩まされているとしましょう。

これは空気を肺に送る気管支の収縮をコントロールしている自律神経の機能に乱れが生じ、副交感神経だけが継続的に働いているために起こると考えられます。気管支に炎症などがあるわけではないので、病院で検査をしても「異常なし」と判断されてしまうのです。

たとえ薬の服用などで一時的に症状が消えても、自律神経が正常に機能しない限り、やがて不調は戻ってきます。

また、自律神経は全身に張りめぐらされているため、不調の出る器官が転々と変わることがよくあります。

おもな症状と特徴①

症　状	原因・特徴など
頭痛、片頭痛 	頭が痛い、頭が重いといった症状で、頭の片方がズキズキ痛む片頭痛もみられる。交感神経の過度の緊張で血管が収縮し、血行不良を起こすことが原因と考えられている。血行が悪いため、肩こり、首のこりを招くこともある
髪の毛が抜ける 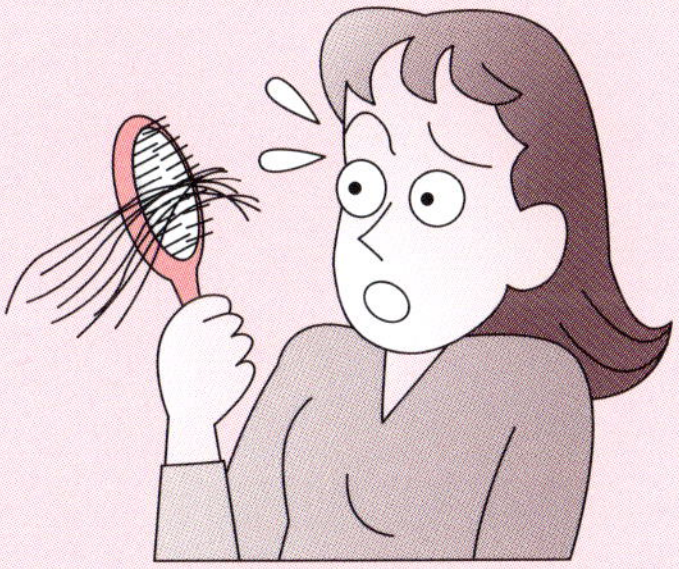	髪の毛が部分的に抜ける「円形脱毛症」の症状が現れたり、髪の毛が細くなる場合がある
目の疲れ 	目の疲れに加え、物がボーッとかすんだり、二重、三重にみえるなど。目の乾きや涙目の症状が出ることもある。目に十分な血液が送られないことが原因

おもな症状と特徴②

症　状	原因・特徴など
耳鳴り 	実際には音がしていないのに音が聞こえるように感じたり、音が聞こえにくいなどの症状が現れる。中高年の人に多くみられる
口の中の不快感 	口の中が渇く、反対に唾液がたくさん出る、味覚がおかしい、口や舌が痛い、などの不快な症状が現れる。心因によるものと考えられている
のどの不快感 	のどに何か引っかかっているような感じがしたり、物を飲み込もうとすると詰まってうまく飲み込めないなど。副交感神経の緊張のために起こる。比較的女性に多い

症　状	原因・特徴など
肩こり 	交感神経は血管を収縮させ、副交感神経は血管を拡張させるように働くが、そのバランスがくずれて血液の循環が悪くなると肩こりが起こる。首筋、背中までこる場合もよくある
息苦しい 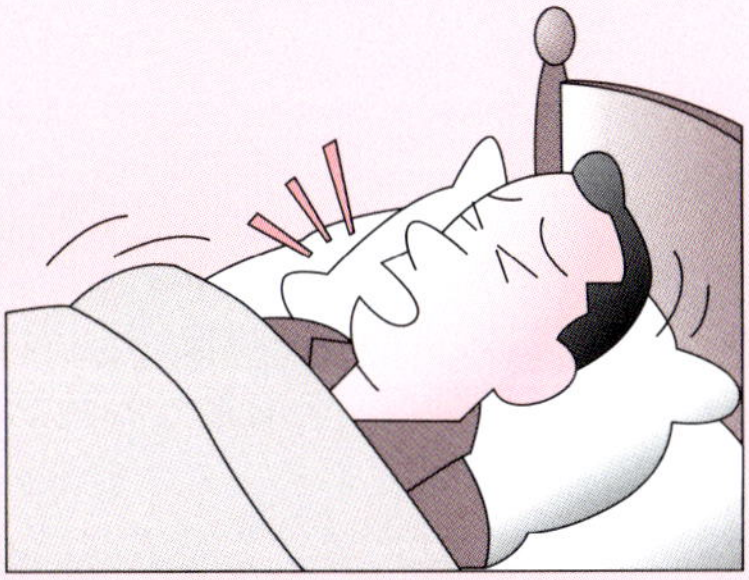	呼吸が速くなり、息苦しくなる。ベッドに入って休もうとするときに起こることが多い。副交感神経の緊張が高まって、気管支の周りの筋肉がけいれんを起こすために起きる
動悸《どうき》 胸部の圧迫感 	激しい運動をしたり興奮したわけでもないのに、心臓がドキドキしたり、胸が圧迫されたように感じる、血圧が変動するなど。交感神経が緊張して脈拍が速くなるために引き起こされる

おもな症状と特徴③

症　状	原因・特徴など
胃腸の不調 便秘・下痢 	悪い物を食べていないのに吐き気がする、食べたあとにムカムカするなど。副交感神経は、胃腸の働きをうながし、食べ物の消化を助ける働きをするが、そのバランスがくずれるために起こる。また、便秘、下痢が続いたり、便秘と下痢を交互に繰り返すこともある。これは交感神経の緊張は便秘を、副交感神経の緊張は下痢を招きやすいため
頻尿《ひんにょう》 残尿感 	水分をとりすぎていないのに頻繁にトイレに行く、あるいは尿が出にくかったり、残尿感があるなど。副交感神経が緊張すると排尿が起こり、交感神経が働いて閉尿するが、そのバランスがくずれるために起こる
手足のしびれ 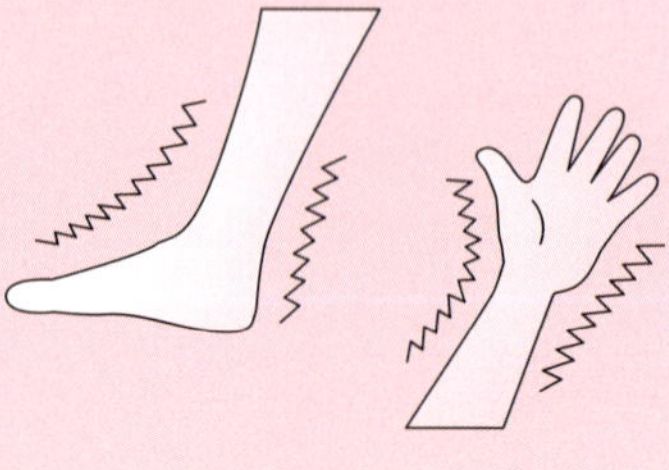	血行不良によって引き起こされるもので、正座してしびれたときと同じような状態になる

頭痛、目の疲れ、耳鳴りなど器官に現れる症状

症　状	原因・特徴など
手足の冷え のぼせ 	手や足の先が、氷のように冷たくなることがある。また、足は冷えているのに、顔や頭がのぼせたりする「冷えのぼせ」の症状が起こる人もいる。月経痛の激しい女性、不妊症、更年期の女性に多い症状で、ホルモンの乱れと関係があると考えられている
生殖器系の不調 	女性の場合は生理不順が代表的なもので、ストレスがホルモンのバランスをくずすために起こる。生殖器にかゆみを感じることもある。男性の場合は勃起障害などが起こる
皮膚の乾燥 かゆみ 	虫さされや湿疹でもないのに、皮膚がかゆい。自律神経の乱れにより皮膚が乾燥し、かゆみが起こる

イライラ、不安、無気力など精神に現れる症状

健康なときにはみられなかったようなイライラ、不安感、記憶力や集中力の低下、無気力などの精神的な症状に悩まされることが多くあります。

精神と身体の不調は切り離せない

自律神経失調症は体の不調だけでなく、精神面の症状を伴うことが多くあります。

たとえば、わけもなく落ち込む、イライラする、不安を感じる、気分がよく変わる、怒りっぽくなる、興味・意欲が低下する、情緒不安定になる、集中力・記憶力が低下する、人と会いたくない、細かいことが気になるなどで、いずれも健康なときにはなかった症状です。

精神的な症状だけが独立して現れるのはまれで、多くの場合、全身症状や身体症状を伴います。逆にいうと、自律神経の乱れによる体の不調があるために精神面での症状が起こっているともいえます。

人間誰でも倦怠《けんたい》感や疲労感に悩まされているときは意欲が低下しますし、いつめまいにおそわれるかわからない状況では不安感が増すものです。とくに心の負担やストレスが大きく影響しているタイプの自律神経失調症では、精神面での症状が強く現れることがあります。

しかし、脳内の神経伝達物質、自律神経系、身体症状、精神症状のどれが原因で、どんな症状が強く現れるかは、個人によって異なります。

よくみられる精神症状

意欲低下、無気力感

何もやる気が起きず、意欲がわかない。仕事や家事、外出だけでなく、洗顔、入浴などの日常的な行動もおっくうになる

集中力・記憶力の低下

ものごとに集中できない、少し前に聞いたことを思い出せないなどの症状があり、仕事や日常生活に支障が出る

情緒不安定

家族や友人にあたるなど、ちょっとしたことでイライラしたり怒りっぽくなる。また悲しい、孤独といった感情がわいて泣きたくなる

不安感、憂うつ感

落ち込みが続いて気分が晴れない、気分の切り替えができない、不安を感じるなど

BREAK ミニ・コラム

無理なダイエットは危険！

理想的な体形を求めてダイエットに励む女性たち。でも、無理なダイエットは生理不順や体調不良の原因になるだけではなく、自律神経失調症を引き起こすことがあります。

とくにホルモンの分泌が安定していない若い世代は要注意です。多くのホルモンは自律神経と同じ視床下《ししょうか》部《ぶ》によって管理されているため、バランスのくずれがお互いに影響し合って、自律神経失調症になることがあります。

ダイエット中や完了したあとに疲労感、気分の落ち込み、情緒不安定などが続く場合は、一度専門医の診察を受けましょう。

自律神経失調症の関連症状

特定の器官のみに強く症状が出ると、「心臓神経症」「過換気症候群」など、別の病名がつくことがあります。いずれも自律神経失調症の部分症状、関連症状と考えられています。

特定の病名がつけられることもある

自律神経失調症になると体のさまざまな器官に症状が現れますが、特定の臓器や器官にのみ強く不調が現れた場合、器官や臓器別の診断名がつくことがあります。

症状が特定の器官などに集中的に現れる代表的なものとして、心臓神経症、本態性低血圧症、過換気症候群、胆道ジスキネジー、過敏性腸症候群などがあります。

特定の病名がつくと、通常の内科治療で治るような錯覚に陥りがちです。しかし、症状の根底に自律神経の乱れがあるならば、薬物などで臓器や器官の不調を一時的に抑えることはできても、完治は期待できません。自律神経の失調を起こしている根本的な原因を探り当て、適切な療法を行うことが必要です。

また、これらの関連・部分症状は、自律神経の失調以外の理由で不定愁訴《ふていしゅうそ》が現れている可能性もあります。

乗り物酔いも自律神経失調症の一部

乗り物酔いや円形脱毛症、立ちくらみなど、病気とはいえない体の状態や一時的な症状でも、ストレスなどによる交感神経と副交感神経のバランスの乱れが原因の場合には、自律神経失調症の一部と考えられます。

たとえば、頭に10円玉の大きさで脱毛する円形脱毛症は、頭部の皮膚に自律神経失調症の症状がとくに強く現れたもの、乗り物酔いは緊張や不安によって自律神経が刺激され、体の平衡感覚をコントロールする内耳のバランスが乱れるために起きると考えられます。

こんな症状も自律神経失調症の仲間

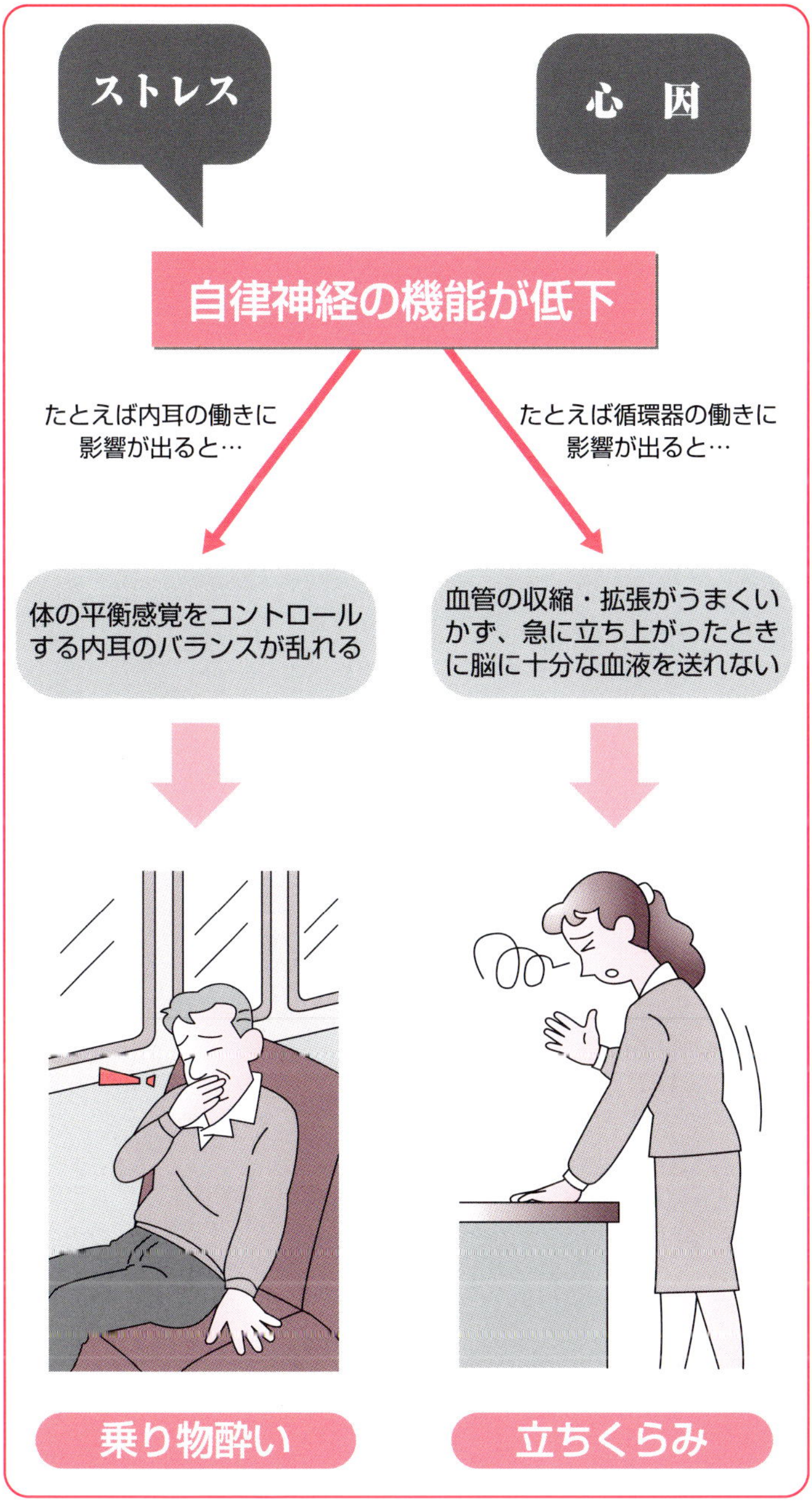
ストレス
心因
自律神経の機能が低下
たとえば内耳の働きに影響が出ると…
たとえば循環器の働きに影響が出ると…
体の平衡感覚をコントロールする内耳のバランスが乱れる
血管の収縮・拡張がうまくいかず、急に立ち上がったときに脳に十分な血液を送れない
乗り物酔い
立ちくらみ

関連する身体疾患

▼循環器系▲

●起立失調症候群

座ったり寝ている状態から急に立ち上がったときに、めまいや立ちくらみが起こる。

通常、自律神経は体がどのような姿勢をとっていても、脳内を循環する血液量に変化がないよう働いている。その機能が弱まり、脳に十分な血液を送れないために起こる。「起立性低血圧」とも呼ばれる。

●起立性調節障害

起立失調症候群が小学生から高校生ぐらいの子どもに起こった場合を起立性調節障害という。

朝礼で長く立っていたときや入浴中などに気分が悪くなったり、めまい、立ちくらみ、のぼせなどを頻繁に起こす。寝起きが悪く、午前中は調子のよくないことが多いのが特徴。

●心臓神経症

器官神経症の一つで、動悸《どうき》、胸の痛み、呼吸困難などの症状がみられる。

器官神経症とは、情緒障害による症状が一つの器官に固着したもの。多くの場合、精神的な問題が引き金になっていると考えられている。男性より女性に多い。

●不整脈

1分間に約60～90回のペースで規則正しく繰り返している脈拍のリズムが、原因不明で途切れたり、速くなったり遅くなったりする症状。

動脈硬化や甲状腺機能亢進症などの病気が原因で起こることが多いが、睡眠不足やストレスによって起こる場合もある。

▼呼吸器系▲

●過換気症候群

「過呼吸症候群」とも呼ばれる。突然息苦しくなり、空気が吸えないような症状に陥る。胸痛、胸部圧迫感、四肢の感覚異常、不安感、めまい、非現実感などを伴うことが多い。心臓が止まるような動悸を感じたり、失神して病院に運ばれることもある。始まったときと同様に、発作は突然治まるのが特徴。

　過換気症候群は、不安などのほか、状況に対する恐怖、抑うつ、強迫が根底にあることが多い。過労や過度のストレスによっても誘発される。若い女性に多いとされてきたが、最近は年齢・性別を問わず増えている。

●気管支ぜんそく

　気管支の収縮によって起こり、多くの場合、夜間に発生する。呼吸をするのが苦しく、「ヒューヒュー」という音が続く。子どもにも多い。

▼消化器系▲

●過敏性腸症候群

　少なくとも3カ月以上の期間にわたり、下痢や便秘、腹痛などを繰り返すもので、自律神経失調症が腸管の機能異常に集中して現れ

た代表的な症状。一過性のストレスや環境の変化で起きる短期のものは含まれない。長期にわたる不規則な生活やストレスなどの心因によって起こる。

授業中や会議中、電車の中などトイレに行きにくい状況や、緊張を強いられる場面で症状が現れやすいという特徴がある。

●神経性嘔吐《おうと》症

身体的にどこも悪いところがないのに、吐き気を感じたり、実際に嘔吐を繰り返すもの。転校・転勤、離婚など環境が変わったときに起こりやすい。

●胆道ジスキネジー

ジスキネジーとは「運動異常」という意味で、上腹部や右側腹部に鋭い痛みが走る。精神の不安定が原因で自律神経のバランスが乱れ、胆管などがけいれんして起こると考えられている。

●反復性臍疝《さいせん》痛

へその周辺に発作的な腹痛が起こり、いつの間にか治っては再発を繰り返す。痛みが起こるのは昼間がほとんどで、夜はめったに起きない。めまい、嘔吐、頭痛を伴うことがある。きちょうめんで神経質な子どもに多い。

▼神経系▲

●片頭痛

頭の片側、もしくは両側がズキズキと波打つように痛み、ピーク時には吐き気や嘔吐を伴う。頭痛が始まる前に、目の前がチカチカする、視野の一部がみえない、身体のしびれ、脱力感などを伴うこともある。

脳内や周辺の血管が収縮したあと、過度に拡張するのが原因と考えられている。疲労、睡眠不足、ストレスなどが誘発要因といわれている。

●緊張型頭痛

後頭部や首の後ろに持続的な鈍

い痛みを感じる。背中の痛みや肩こりを伴うことが多い。筋肉が緊張して収縮を起こすのが原因で、30代以降の女性に多い。精神的ストレス、疲労がおもな原因。

▼耳鼻科系▲

●めまい

めまいは、周囲がグルグルと回る感じがする真性めまいと、自分の体がフラフラする仮性めまいの2種類がある。

いずれもストレスなどの心因によって自律神経のバランスがくずれて起きることがある。

●メニエール病

耳鳴り、難聴を伴うめまいで、ときには立っていられないほど重度の場合もある。聴覚や平衡感覚をつかさどる内耳に障害があるために起こる。神経質できちょうめんな人が、ストレスを受けて発症することが多いといわれている。

▼泌尿器系▲

●夜尿症

4歳以上の子どもで、睡眠中に排尿が起こる症状。心理的なものが原因で、環境の変化、不安、緊張などから起きる。

●ぼうこう神経症

頻尿《ひんにょう》や残尿感、下腹部の不快感などのはっきりした自覚症状があり、かつ器質的な病変のみられないもの。精神的ストレスによって自律神経のバランスがくずれて起きると考えられている。

まぎらわしい症状に注意しよう

自律神経失調症であげられる症状が、自分に当てはまるからといって勝手に決めつけてしまうのは危険です。実際に体の器官に異常があって似たような症状が出ていることもあるからです。

重大な病気がひそんでいることも…

自律神経失調症による不調は通常、器官そのものに異常はなく、自律神経のアンバランスな状態が改善されれば回復します。しかし、よく似た症状であっても、別の重大な病気がひそんでいることもあるので要注意です。

実際、自律神経失調症の多くの症状は、重大な病気の前兆として現れるサインに似ています。

たとえば自律神経失調症の代表的な症状である倦怠《けんたい》感やめまい、動悸《どうき》、腹部・胸部の圧迫感などは、糖尿病や脳梗塞《こうそく》、がんなどの病気でも現れる症状です。

また、自律神経失調症の特徴として体の不調に気分の落ち込みなどの精神症状を伴うことがあげられますが、これも他の病気にもみられる共通のことといえます。

器質的な病気が原因になって自律神経のバランスがくずれることもあるので、自己診断で勝手に「自律神経失調症に違いない」と決めつけるのは危険です。

症状が長く続く場合は、病院で早めに検査を受けるようにしてください。

また、身体疾患だけでなく、神経症やうつ病などの精神疾患がひそんでいることも多く、精神科や心療内科での診察が必要になることがあります。

自律神経失調症と判断されることがあるおもな身体疾患

呼吸器系	肺結核、気管支炎、ぜんそく、肺気腫《きしゅ》など
循環器系	狭心症、心筋梗塞、高血圧・低血圧症、貧血、多血症など
消化器系	消化器系のかいよう・がん、慢性肝炎、胆のう炎、慢性すい炎、腎炎など
内分泌系	糖尿病、副腎機能低下、甲状腺の機能異常、バセドー病など
筋肉・神経系	パーキンソン病、多発性硬化症、筋ジストロフィー、関節炎など
その他	脳腫瘍《しゅよう》、膠原《こうげん》病、各種の細菌症など

糖尿病	がん
すい臓から分泌されるインスリンが必要量分泌されなかったり、その作用が弱いことが原因で高血糖となり、体に重大な障害をもたらす。症状の現れにくい病気だが、血糖値がかなり高くなると、のどの異常な渇き、倦怠感、目のかすみ、手足のしびれ、多尿などの自覚症状が出る	初期は症状が出ないことも多いが、次のような自覚症状を伴うことがある ●胃がん…胸やけ、胃もたれ、胃の不快感。食べ物の嗜好が変わる ●食道がん…食べ物が胸につかえる感じがする。飲み込みにくい ●肝臓・ぼうこう・前立腺がん…尿の出が悪くなる
膠原病	**脳腫瘍**
結節性動脈周囲炎、慢性関節リウマチなど、細胞の結合組織に異常が起こる病気を総称して膠原病という。結節性動脈周囲炎は急激な腹痛、ぜんそくのような発作、手足のしびれなどの症状が出る。慢性関節リウマチは関節周辺に痛みを感じる	頭蓋骨の内側にできる腫瘍を総称して脳腫瘍と呼び、40%が良性、35%が比較的良性なもの。頭痛、嘔吐、手足のしびれ、視力の低下、体がふらつくなどの症状が出る
貧血	**バセドー病**
血液中の赤血球や血色素が減少した状態をいい、体のだるさ、寒さを人一倍感じる、動悸、息切れ、食欲の減退、吐き気などが起こる	免疫異常によって甲状腺機能に障害の出る病気で、脈拍の増加、汗をかきやすい、体がだるい、下痢が続く、精神不安定などの症状が出る

眠れぬ夜の対処法

●意識的に眠る環境をつくる

神経が過敏になっていると、眠ろうと思ってもなかなか寝つけないことや、眠りが浅くすぐに目が覚めてしまうことがよくあります。ベッドの中でいろいろ姿勢を変えたり、羊の数を数えても、一向に眠気がやってこないつらさを経験したことのある人も多いのではないでしょうか。

睡眠障害は自律神経失調症の症状の一つですが、長く続くと寝不足でますます疲労が蓄積していき、自律神経のバランスが乱れたままになってしまいます。また、夜遅くまで活動している夜型人間は、自律神経失調症や不眠症の予備軍です。自律神経失調症の症状を長引かせたり、本格的な不眠症になってしまう前に、次のことを試してみましょう。

睡眠リズムを取り戻すためにいちばん大切なのは、意識的に眠る環境をつくることです。それには、①眠くなくても毎晩決まった時刻にふとんに入り消灯する、②ベッドは眠るためだけに使い、ベッドで本を読んだり飲食しない、③30分過ぎても眠れないときはふとんから出る、④眠気がやってくるまでベッドに戻らない、⑤睡眠時間にかかわらず朝は決まった時刻に起きる、⑥日中に眠くなっても昼寝はしない、以上を数日間繰り返すことで、軽い睡眠障害なら治ることが多くあります。

ベッドの中で勉強したり、眠くなるまで本を読むのが習慣になっている人は多いようですが、これが原因で思わぬ睡眠障害が起きることもあるので要注意です。たとえば毎晩読書をしながら眠りにつくのが習慣になると、「本＝睡眠」という関連が脳にインプットされてしまい、昼間の活動中に活字を読むことによって、眠気が誘発されることがあります。

第4章

ストレスが自律神経を乱す!

治療の第一歩は、ストレスを自覚すること

ストレスは、自律神経のバランスをくずす最大の原因。自律神経失調症は、ストレスのレベルが個人の許容範囲を超えたときに発症します。

自律神経失調症の最大の原因はストレス

自律神経失調症は、おもに心理的な負担や不規則な生活習慣、あるいはその両方が影響して自律神経機能のバランスがくずれるために起こります。

心理的な負担は心のストレスに、不規則な生活習慣は体にとってストレスになるものです。別ないい方をすると、自律神経失調症は心と体が受けたストレスに自律神経が過敏に反応している状態ということができます。

自律神経失調症の治療はまず、自分が何にストレスを感じているかを確認することから始まります。

ストレス源とストレスは違う！

心身にストレスを感じさせる、人間の内部・外部からの刺激を「ストレス源」といいます。しか

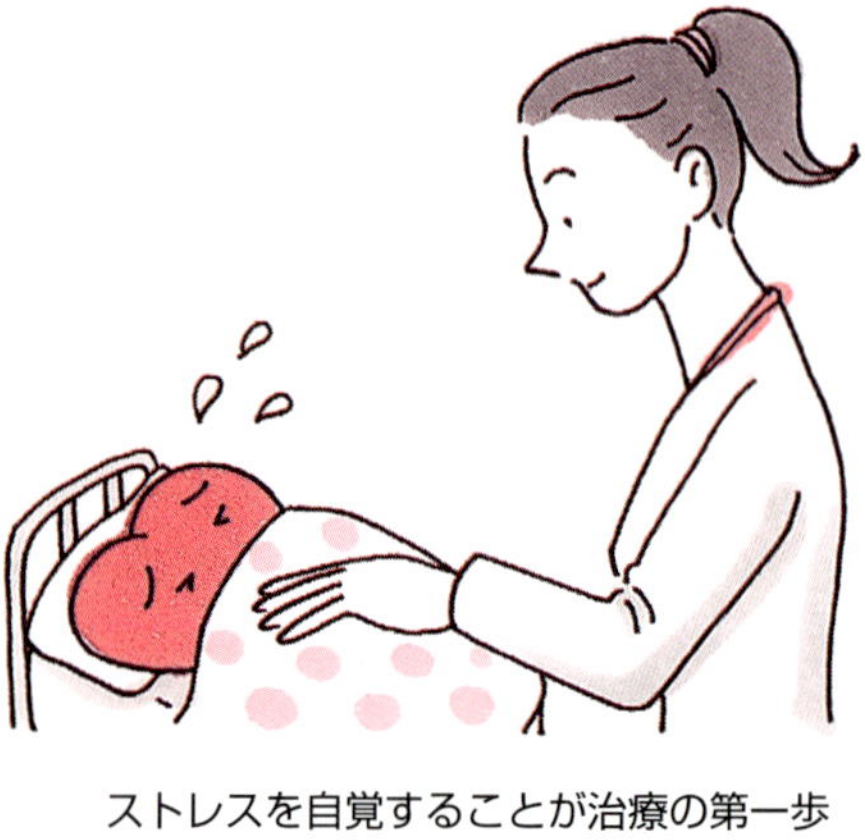

ストレスを自覚することが治療の第一歩

ストレスとストレス源

ストレス源	ストレス
心と体が受け取る人間の内部・外部からのすべての刺激。よいものも悪いものも含まれる	ストレス源によって影響された心身の状態。ストレスの度合いは個人の考え方、性格、家庭・社会環境により異なる

ストレス源によって生み出されたストレスの度合いが個人の許容範囲を超えると、自律神経機能のバランスがくずれる

し、このストレス源があるからといって、必ず体調が悪くなるわけではありません。たとえば「イヤなことがあった」「仕事のプレッシャーを感じている」などのマイナス方向に働く刺激だけでなく、空腹、引っ越し、入社、入学、季節の変わり目、結婚、出産、近親者との死別など、人間が生きていくうえで出合う環境の変化、これらはすべてストレス源です。

一方、「ストレス」とは、動悸《どうき》、不安、緊張など、ストレス源を受けたときの心身の状態です。適度なストレスは生活にメリハリを与え、よい刺激になりますが、問題はストレスのレベルが個人の許容範囲を超え、うまく適応できなくなったときです。

一つのストレス源がどの程度のストレスを生み出すかは個人の考え方や性格のほか、家族のきずな、社会的ネットワークなどによって大きく変わってきます。

本人が意識していないやっかいな原因も…

自律神経は「人間関係のトラブル」「仕事がきつい」など、一般にストレス的状況と考えられている状態だけではなく、本人が意識していない原因に対しても反応してしまうのがやっかいな点です。

けれども、自律神経失調症を治すには、原因となるストレスを自覚することが大切。そのため、ストレス源とストレスをきちんと区別して考えることが必要です。

ストレスの原因を探ろう

五感を通して受け取るさまざまな刺激（環境の変化）がストレスを生み出します。ストレスはおもに身体的ストレスと精神的ストレスに分かれます。

身体的ストレスと精神的ストレス

ストレスを「外部環境の変化によって起こる心と体の状態」ととらえてみると、私たちの日常にはたくさんのストレス源がひそんでいることに気づくはずです。ストレスは、おもに身体的ストレスと精神的ストレスに分類できます。

身体的ストレスとは、さまざまなストレス源を体がストレスとして感じるもので、長距離通勤や寝不足による極度の疲労、空腹を我慢したり急激に気温が下がったときなどの体の状態をいいます。

一方、精神的ストレスは、心がストレス源に反応して生み出す快・不快、怒り、悲しみ、プレッシャーなどの感情を伴った心の状態です。たとえば、人づきあいは「喜び、楽しみ」を与えてくれる反面、「摩擦、不和」などの刺激も生み出します。また、失業、左遷、病気、離婚、定年退職といったストレス源は、将来への不安、現状への不満という感情（心の状態）を生み出します。そして、これらが精神的ストレスの大きな要因となります。

生活にもっとも大きな変化を与える直接的なストレス源としては「病気になる」「事故に遭う」「手術を受ける」などがあり、これらは心と体の両方に強いストレスを引き起こす代表的な例です。

身体的ストレスのおもなストレス源

自然環境のストレス源

暑さ・寒さなどの気温変化、低・高気圧、空気汚染、公害、花粉、ほこり、騒音など

生物学的なストレス源

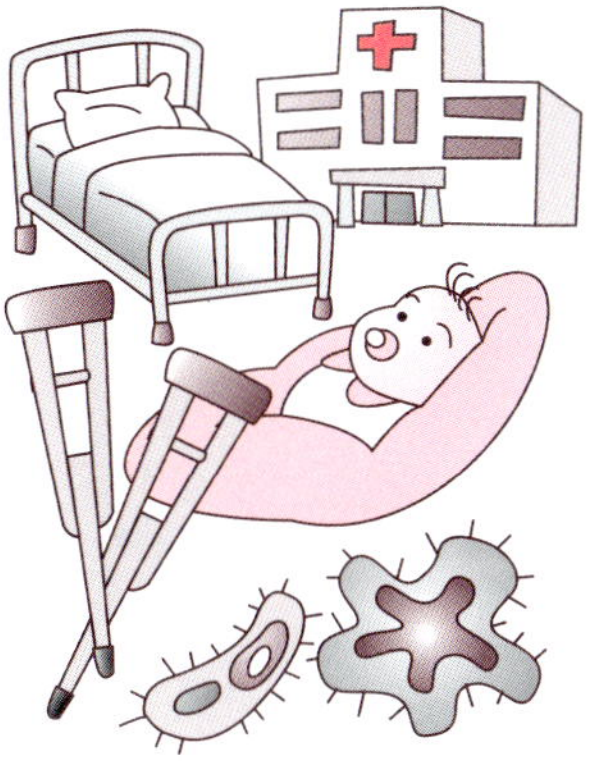

病気、事故、ケガ、手術、妊娠、出産、生理痛、細菌・ウイルス感染、持病など

日常生活関連のストレス源

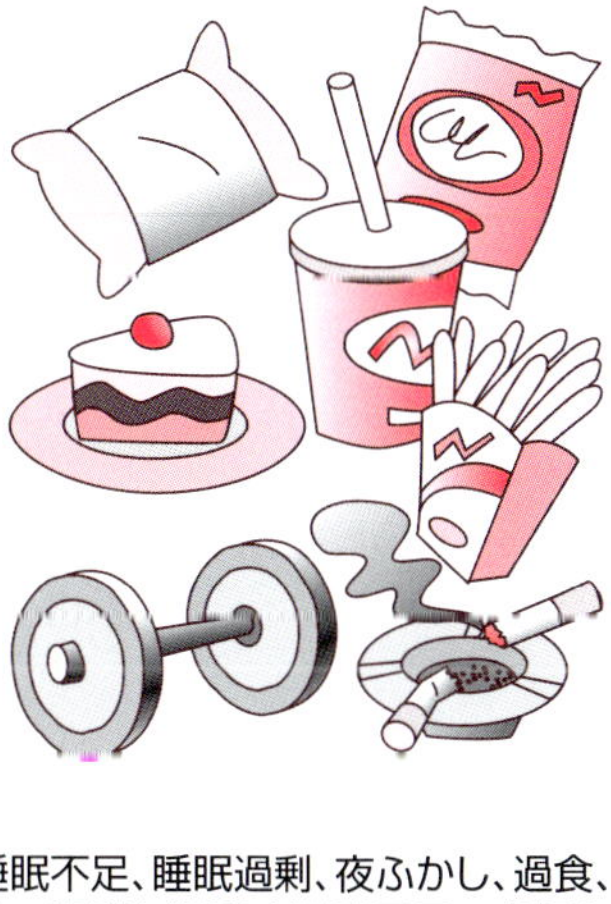

睡眠不足、睡眠過剰、夜ふかし、過食、偏食、過剰な運動や運動不足、喫煙など

社会生活関連のストレス源

長距離通勤、渋滞、満員電車、多忙、疲労、長時間勤務、接待、休日出勤など

心理的なストレス源

将来への不安、現状への不満、家族や社会への怒り、恐怖、挫折、失敗、失望、裏切りなど

健康関連のストレス源

慢性的な持病、ケガ・事故・病気による健康喪失、心身の障害、家族の病気、妊娠・出産など

恋愛関連のストレス源

浮気、心変わり、ストーカー、不倫、失恋、告白、嫉妬、けんか、三角関係など

その他のストレス源

親しい友人の死、ペットの死亡、社会的事件、自然災害、退屈、生きがいの喪失など

精神的ストレスのおもなストレス源

人間関係のストレス源

上司・同僚・部下・友人・恋人・親子・嫁姑・夫婦・親戚・隣人とのつきあい、トラブルなど

家庭関連のストレス源

結婚、離婚、別居、同居、引っ越し、出産、育児、子どもの反抗期、子どもの独立、死別、家計のやりくりなど

会社関連のストレス源

左遷、転勤、昇級、社内異動、仕事の失敗、ノルマの達成、失業、転職、責任、多忙、単身赴任、退職など

学校関連のストレス源

成績不振、いじめ、クラス替え、転校、入学、卒業、受験、退学、修学旅行、ＰＴＡなどの役員会など

ストレスに強い人、弱い人

ストレス源が日常にあふれていても、誰もが同じストレスを感じるわけではありません。内的要因として、性格、気質、体質など、個人ごとに異なるストレス対処能力がかかわっています。

外的要因だけでは自律神経失調症にならない

身体的ストレスと精神的ストレスは、どちらも外部環境からの刺激によって起こる心と体の状態です。そのため、これらを外的要因によるストレスと呼んでいます。

ところで、同じようなストレス的状況に置かれても、自律神経失調症になる人とならない人がいるように、外的要因だけで体の不調が起きるわけではありません。

自律神経失調症の発症には、各個人の内部環境からの刺激、内的要因によるストレス源が不可欠です。外からの刺激と内側からの刺激が複雑に組み合わさって発症すると考えられています。

性格や気質が内的要因となる

ストレスの内的要因には、性格や気質、体質、体調など、個人ごとに異なるストレスへの対処・適応能力が深くかかわっています。

たとえば、仕事で大きなプロジェクトを任されたときや、子どもの学校の役員に選ばれたときに、「面倒なことになった」と考えるか、「新しいことに挑戦できるいいチャンス」と考えるかで、一つの刺激がストレスになるかどうかは大きく変わってきます。

また、何か失敗したときに「起きたことはしかたがない。次にがんばればいい」と気持ちの切り替えができれば内的要因のストレスにはなりませんが、いつまでもクヨクヨと考えていたり、強い責任感に悩まされてしまうと、しこりとなって残ります。

　このような考え方の違いは、性格によるものだけではなく、その日の体調や気分によっても左右されます。

同じ外部環境からの刺激（ストレス源）があっても、それをストレスと感じるかどうかは人それぞれ。性格や気質のほか、その日の気分や体調によっても受けとめ方が違ってくる

　すでに述べたように、外部環境からの刺激は大脳新皮質《しんひしつ》で判断されたあと、感情をコントロールしている大脳辺縁系《へんえんけい》を経て、視床下《ししょうか》部《ぶ》に伝えられます。本当は笑ったり楽しんだりしたいのに、「笑ってはいけない」「楽しんではいけない」など自己を抑制する力が強く働くと、内的要因のストレスとなってしまいます。

　このように、内的要因と外的要因のストレス源は密接に結びついています。外部環境の変化によって生じた刺激の負担が大きすぎて対処しきれなくなると、自律神経のバランスが乱れて、体にさまざまな症状が現れてしまうのです。

不規則な生活習慣がストレスをためる

夜中に活動して日中は寝ている、夜勤などで寝る時間が一定しない、食事の時間がいつも違う、こんな生活を続けている人の体はストレスだらけです。

生活のリズムとストレスの関係

人間の体は多少の無理はきくようにできていますが、長期にわたる不規則な生活は、大きな身体的ストレスとなります。

人間は古来、日の出とともに起きて活動し、夜は眠るという生活を送ってきました。また適度に働き、休むというゆったりしたペースで健康を保ってきました。

ところが高度に発達した現代社会では、本来人間に備わっている生体リズムを無視した生活を送っている人が少なくありません。

連日の徹夜や昼夜の逆転生活、暴飲暴食、こうしたことを長く続けていると、自律神経のバランスは徐々にくずれてきます。社会のスタイルは変わっても、人間の生体リズムや自律神経の働くメカニズムは変わっていないからです。

ですから、自律神経失調症を改善するには、規則正しく生活することが大切です。

自律神経が暴走する！

自律神経や生体リズムは、人間がよりよく生きていくために効果的に働くようあらかじめプログラムされています。いわば生存のための本能的な機能です。

人間の本能的な感情や行動と深くかかわる視床下部《ししょうかぶ》や大脳辺縁系《へんえんけい》

に、不規則な生活習慣は「泣きたいけど泣かない」など本来の感情を押し殺しているときと同じような混乱を与えてしまいがちです。

不規則な生活は自律神経失調症の原因に

夜型の生活
深夜便
連日の夜遊び、
暴飲暴食
徹夜、
深夜までの仕事

体のリズムに反する
不規則な生活習慣

本来、副交感神経は人間が休息する夜に働き、交感神経は日中に活発に働くようになっている。夜型の不規則な生活習慣によって、大脳皮質は「活動中」という情報を伝えるため、生体リズム、自律神経をコントロールする視床下部に混乱が生じる

自律神経が暴走し、弱い部分に身体症状が現れる！

また、副交感神経は人間が休息する夜に働き、交感神経は日中に活発に働いています。夜遅くまで飲んでいたり、気を張り詰めて仕事をしていると、大脳皮質《ひしつ》は「活動中」という情報を伝えます。短期間なら問題ありませんが、本来プログラムされている指示と異なる指令が長く続いたり、頻繁に変わったりすると、自律神経は脳からの情報をコントロールしきれずにやがて暴走し始めます。そのため、夜型人間には自律神経失調症になる人が多いのです。

人間の生体リズムを無視した生活スタイルは、心理的なストレスの有無にかかわりなく自律神経失調症の引き金になることを忘れないようにしましょう。

現代のストレス病といわれている理由

豊かさや便利さを追求し、休むことなく変容を遂げてきた現代社会。その中に取り込まれて生活している私たちの心や体には、どんな影響があるのでしょうか。

環境の変化についていけない

自律神経失調症が「現代のストレス病」といわれるのは、現代人のライフスタイルが、ストレスの外的要因だけではなく内的要因にも影響を及ぼしているからです。

内的要因には体質や性格のほか、育った環境や周囲・社会の価値観が大きく影響します。社会の風潮やしくみが目まぐるしく変わる中、その変化にうまく適応できない人が増えてきています。

自分で自分を追い詰める

忙しい現代社会では、誰もがある程度のストレスを抱えながら生きています。複雑な社会の中で「落ちこぼれ」にならないよう、周囲の期待や社会のシステムに合わせるため、環境の変化に過剰に反応することが多くなります。

過剰な反応は、心や体に無理がかかります。それでも何とか周りに合わせようと、「我慢しなければならない」「がんばらなくてはならない」と本来なら適応できない状況に自分で自分を追い詰めてしまいがちです。

とくに性格的に「責任感が強い」「まじめ」「中途半端なことが嫌い」「頼まれるとイヤといえない」という傾向がある人は、精神的な負担が大きくなるので要注意です。

こんな症状をもつ人が増えている！

子離れ・親離れができない

●子どもの世話が生きがいで、子どもが自立すると心に穴が開いたような孤独感を感じる
●実家はらくなので、結婚する気になれない。成人後も食事のしたく、洗濯、掃除は親任せ

快適生活依存症

エアコンのない生活は考えられず、夏に毛布を掛けて冷房をつけたり、冬に窓を開けて暖房を入れたりする。どこに行くにも車を使い、めったに歩かない

帰宅・出社拒否

●家庭に居場所がみつからず、会社からまっすぐ家に帰ることができない。家にいるとイライラする
●出社しようとすると具合が悪くなり、出勤したいのに会社に行けない

コンピュータ依存

テレビゲームやコンピュータに熱中し、パソコンがあれば数日家にこもっていても平気。友人と会うよりチャットやゲームをしていたほうが楽しい。早く家に帰ってパソコンで遊びたい

マニュアル人間

意見をいったり、自分で考えるのが苦手で、人に頼りがち。突発的なできごとが起こるとパニックになる。マニュアルや手引書がないと、どうしていいのかわからない

多忙追求症候群

仕事をしていないと不安を感じ、休日も仕事関連のことで時間を過ごす。休暇をとっても楽しめずイライラする。高い目標を掲げ、無理をしてでもがんばろうとする

便利さと引き換えに適応能力が衰える

便利になった現代社会は、人間に本来備わっている体の適応能力にも影響を及ぼしています。

たとえば今はほとんどの場所に冷暖房が備わっていますが、一年中快適な室温で過ごせるようになると、体は自分で体温調節をする必要がなくなり、その能力は弱まっていきます。そんな中、ひとたび体温調節を必要とする環境に置かれると、体の対処能力が弱くなっているため、ストレスの内的要因となってしまうのです。

このように、私たちは知らず知らずのうちに、さまざまなストレスを抱え込んでいます。

一生の中でのストレス要因をチェック

精神的ストレスの多くは、人生のライフサイクルの中で出合うできごとと深い関係があります。年代ごとのストレス要因をチェックしましょう。

人生には一定のライフサイクルがある

人間は生まれてから死ぬまでの間にさまざまな経験をしますが、各年代ごとにある程度共通のストレス的状況に直面しながら生きています。これは乳・幼児期、学童期、青年期、壮年期、熟年期といった人生のサイクルの中で起こるできごとと深く関連しています。

自律神経失調症は年代や性別を問わずに発症しますが、一般に思春期と熟年期に起こることがとくに多いようです。

思春期は子どもから大人への移行期で、自我の芽生え、学校や親への反発、恋愛・失恋、友人関係の悩みなどの問題に初めて直面し、精神的にも身体的にも不安定になりやすい時期です。

熟年期は生活習慣病や体力の衰えに加え、子どもの独立、定年後の生活不安、身近な人との死別など環境の変化が大きく、心身のバランスがくずれやすくなります。とくに女性は閉経期にあたり、ホルモン分泌低下の影響を受けやすくなるので注意が必要です。

もちろん思春期、熟年期に限らず、ライフサイクルの各期にはそれぞれ直面し解決しなければならない課題があり、その過程で思わぬストレスを受けることが少なくありません。年代ごとのストレス要因を知っておきましょう。

人生のライフサイクルとストレス①

ライフサイクル	特徴	おもなストレス要因	自律神経失調症との関係
乳・幼児期（0〜5歳）	とくに母親との関係の中で信頼関係を培う時期。基本的な生活習慣が形成される。保育園・幼稚園入園は社会生活の第一歩	母子関係、スキンシップ不足、両親の不和、親の接し方、入園、兄弟げんか	親との間に信頼関係がなかったり不足すると、それが、のちに自律神経失調症を起こす遠因となる
学童期（6〜12歳）	学校を通して社会生活・人間関係の適応度を高めていく時期。自我がまだ確立されていないため、他者の影響を受けやすく傷つきやすい	入・転校、卒業、学校生活、教師・同級生との関係、親との関係、親の教育方針、親の不在、成績不振、いじめ	成績一辺倒で評価される家庭環境で育つと、その影響が大人になって現れ、成績不振・仕事のノルマ達成などが大きなストレスとなる

人生のライフサイクルとストレス②

思春期（13～18歳）	青年期（19～22歳）	成人期（23～35歳）

自己形成期にあたり、親や友人との関係が大きく影響。自己疑念、対人不信に悩むことが多い。急激な身体的成長がありホルモン分泌が不安定	自己が確立し、自分の志向がはっきりする反面、将来や生き方、自己のあり方について悩む。外見を重視し、恋愛関係、友人関係の影響を受ける	人生の中でもっとも環境の変化が起こる時期で、就職、結婚、親からの独立、育児、転職などの人生の大きなイベントが続く
第二次性徴、友人関係、いじめ、受験勉強、異性とのつきあい、反抗期、親との関係、成績不振、進学	恋愛・失恋、進学・就職に伴う親からの自立、成績不振、友人関係、人生・将来に対する葛藤	恋愛、結婚、夫婦関係、親からの独立、就職、仕事上の諸問題、転職、友人関係、妊娠・出産・育児、同居
周りに流されやすく傷つきやすい。ささいなことが大きなストレスになる。ホルモン分泌の影響を受けやすい	異性・友人関係のトラブル、就職問題などから自律神経失調症になることも多い	各個人のストレス対処能力はすでに確立されていることが多く、ストレス源に対する適応に個人差が目立つ

一生の中でのストレス要因をチェック

壮年期（36～48歳）	熟年期（49～69歳）	老年期（70歳～）

人生でもっとも充実した時期で、自己の責任でさまざまなことが可能となる。不規則な生活習慣の影響を直接的に受け始める	人生の限界、老いを感じ始める時期で、更年期障害の影響を受ける。両親や身近な知人の死亡、子どもの独立、定年退職など、さまざまな別れを経験する	人生の山を越えたことにより、役割の終了、生きがいの喪失を感じる人が多い
配偶者・子どもとの関係、仕事上の責任、生活習慣病の発症、親の介護・病気・死別、現状・将来に対する葛藤	子どもの独立、更年期障害、定年退職、親の介護、両親・友人などの死亡、老いの自覚、持病、経済的不安、老後の不安	配偶者の病気・死亡、健康の衰え、子どもとの同居、生きがいの喪失、老人ホーム入居
生活の疲れ、思春期を迎える子どもとの関係、仕事の重圧、リストラなどが自律神経失調症の引き金となる	体力の低下、ホルモン分泌の影響、定年による生きがいの喪失、親の介護・死別などにより自律神経のバランスが乱れることが多い	肉体的な衰え、配偶者の死亡、疎外感が大きなストレスとなる

思いきり泣くとスッキリするのはなぜ？

●涙の中のストレス成分

乾燥から目を守るため、私たちの目の表面は絶えず涙でぬれていますが、何か悲しいことがあると多量の涙が出て、目からこぼれ落ちます。また悲しいときだけでなく、悔しい思いをしたときにも、自分の意思に反して涙が流れてしまうことがあります。

私たちはなぜ悲しいときや悔しいときに涙を流すのでしょうか？　また、思いっきり泣くとスッキリした気分になるのはなぜでしょう？

涙の成分を分析したところ、悲しいときや悔しいときに流す涙の中には、副腎皮質から分泌されるストレス反応ホルモン「コルチゾール」の産生・分泌をうながす副腎皮質刺激ホルモン（ACTH）が含まれていることがわかりました。コルチゾールは、驚きやショックに対応するために心身を緊張状態にするホルモンです。その産生・分泌のメカニズムには脳内の視床《ししょう》下部《かぶ》、脳下垂体が深くかかわっています。外部から強いストレスを受けたことをキャッチした視床下部は、脳下垂体にACTHを分泌するよう指令し、それを受けて副腎皮質でコルチゾールがつくられます。

私たちは泣くことで、「悲しさ」「悔しさ」によってつくられたストレス成分を体外に排出し、内臓や体が必要以上に緊張することを避けています。泣くだけ泣いてスッキリした気分になるのは、涙とともに、悲しみで生まれたストレスを流し出したからなのです。逆に泣きたいのに我慢していると、ストレス成分が体内に残り、心身の緊張状態が長く続くことになってしまいます。

第5章

診断と治療はこのように行われる

何科で受診すればよい？

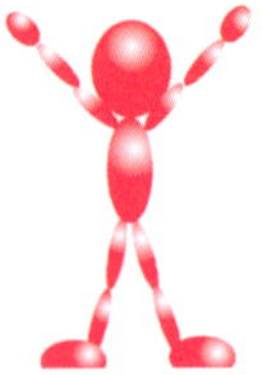

原因不明の体調不良が続く場合は、早めに一般内科などで診てもらいましょう。それでも原因がわからなかったり症状が改善しない場合には、心療内科の受診をおすすめします。

我慢せず、早めに病院へ行こう

「何となくだるい」「夜なかなか寝つけない」「食欲がない」などは、疲れやストレスがたまったときに誰にでも現れる症状です。こんなとき「しばらく休養したら治った」とか、「心配ごとが解決したら症状も消えた」というのであれば、問題はありません。

しかし、いつまでも症状が改善されなかったり、別の症状が次々と現れるような場合には、我慢せずに早めに病院へ行きましょう。

自律神経失調症もほかの病気と同様、早期発見・治療が大切です。また、症状の裏に重大な病気が隠れている場合もあります。

まずは検査を受けよう

頭痛や食欲不振などに悩んでいる人の多くは、とりあえず一般内科で受診することと思います。あるいは耳鳴りがする人は耳鼻科、肩こりがひどい人は整形外科というように、症状に合わせて受診する科を決めるでしょう。

検査を重ねて、こうした医療機関で専門的な診察を受ければ、重大な病気の症状なのかどうかがはっきりします。

ところが、自律神経失調症の場合は、検査をしても異常がみつかるとは限りません。

こんなときは心療内科を受診しよう

さまざまな症状があり、病院で診てもらったが原因がわからない

ストレスが原因といわれたが、「もっと気持ちを大きく」などの気休め程度のアドバイスしか受けられない

一般内科などで治療を受けているが、なかなかよくならない

治療を受けて一度はよくなったが、また症状が現れてきた

「こんなに具合が悪いのに、異常がないわけがない！」と検査結果に不満をもつ人もいます。しかし、大切なのはまずその検査結果を冷静に受けとめることです。

　このような場合、一般内科などでは対処療法といって、薬などで症状を抑える治療を行います。こうした治療や医師の指導による生活改善が功を奏し、軽い自律神経失調症なら治ってしまうケースもあります。

　しかし、薬などによる治療を続けてもなかなか症状が改善しない、あるいは検査の段階で医師から「どこも悪くありません」といわれ、治療らしいことをしてもらえない、といったケースも、実際少なくありません。

こんなとき、ぜひ受診をおすすめしたいのが「心療内科」です。

心療内科ってどんなところ?

心療内科は「心身医学」の考えに立った、比較的新しい診療科です。心身医学とは、人間を心と体、さらに社会的存在として全体的にとらえ、精神と身体の両面から病気を考えていく学問です。

現代医学の基礎となっている西洋医学は、精神と身体を分けて考え、さらには身体面の治療を重視する傾向があります。

たとえば、ストレスが原因で胃かいようになった人が一般内科を受診した場合、かいようの治療は行いますが、患者さんの心の問題にまで踏み込んで診療することはまずありません。しかし、根本にあるストレスに対するケアがなされていないのですから、一度は治っても、また再発を繰り返すということが起きてしまいます。

ストレス社会といわれる昨今、このような心因性の身体疾患にかかる人が増えています。そのため心身両面のケアを行う心療内科の必要性が高まってきたのです。

心と体の両方の治療ができる!

心療内科で診療の対象としているのは、おもに心身症です。

心身症は、先にあげたストレス性の胃かいようのように、ストレスなどの心因が影響して起こる身

BREAK ミニ・コラム

心身医学と東洋医学

心身医学が学問として体系づけられたのは1930〜40年代のことですが、心身医学的な考え方は古代ギリシャ時代にすでにあったといわれます。また、東洋医学は本来、心身医学的な考えに基づいています。

たとえば、インドの伝統的医学であるアーユルヴェーダは、医学、思想、宗教などを含むまさに心身医学的なものです。また中国の医学や漢方も、心身医学的な伝統を今日まで受け継いでいるものといえます。

自律神経失調症の治療にも、漢方やヨガ、座禅、気功などの東洋的療法が取り入れられています。

体疾患をいいます。治療は、体に対しては一般内科と同じように投薬などを、そして同時に、心に対してはカウンセリングや自律訓練法、交流分析などを行います。

自律神経失調症は心身症ではありません（22ページ参照）が、やはり心因によって体に症状が現れる病気なので、心療内科での治療が最良といえます。

心療内科ではストレスと心身症の関係や、心と体の関連を研究。精神面と身体面からの総合的な治療を行っている

心療内科のある病院はまだ少ない

ところで、心療内科は精神科や神経科などとよく混同されますが、精神・神経科は、精神分裂病やうつ病、神経症（ノイローゼ）といった精神障害を専門に診るところです。心療内科では精神分裂病や重いうつ病は扱っていません。

ただ、これらの診療科はいずれも心理・精神面を重視するという点で共通する部分があります。心療内科でも身体症状が強く出ている軽症うつ病や神経症などは診療しています。また、精神・神経科の中にも、心身医学の考えを積極的に取り入れて治療を行っているところがあります。

心療内科は新しい領域なので、この科を設けている病院は、まだあまり多くないのが実情です。近くにない場合は、名称の違いにこだわらず、精神・神経科を受診してみるとよいでしょう。

検査はこのように行われる

自律神経失調症であるかどうかは、おもに面接、除外診断のためのさまざまな検査、自律神経機能検査、心理テストなどが行われ、総合的に診断されます。

さまざまな角度から総合的に診断される

すでにお話ししたように、自律神経失調症は概念があいまいで診断の難しい病気です。そのため、診断にあたってはさまざまな角度から検査を行い、総合的に判断することになります。

自律神経失調症を診断する際の参考事項として、次の2つがあげられます。

①全身倦怠《けんたい》感、めまい、頭痛などの不定愁訴《ふていしゅうそ》がみられる。

②器質的疾患（病変など）や精神障害がない。

「除外診断」でほかの病気をチェック！

診断にあたっては、まず面接で自覚症状について質問されます（98ページ参照）が、これとあわせて「除外診断」のためのさまざまな検査が行われます。

除外診断は、現れている症状がほかの病気によるものではないことを確認するものです。糖尿病やがん、脳腫瘍《しゅよう》などの重大な病気を見落とさないためにも、とても大切です。

症状に応じて心電図やレントゲン検査、CTスキャン検査、尿検査、血液検査などを行い、器質的疾患の有無を調べます。また、うつ病や神経症などの精神障害の有無を調べる検査もあります。

診断・治療のために行われる検査

検査	内容
面　接	自覚症状、他覚症状（医師の観察）、ライフスタイルや性格傾向などについて
▼	
除外診断	脳波検査、心電図、レントゲン撮影、超音波検査、CTスキャン検査、MRI検査、尿検査、血液検査、内分泌検査など
▼	
自律神経機能検査	シュロング起立試験、立位心電図、マイクロバイブレーション（MV）、心拍変動検査など ▶101ページ参照
▼	
心理テスト	CMI、TMI、SCL、STCL、SDS、Y－G性格検査、エゴグラムなど ▶103ページ参照
▼	
総合的に診断・治療計画	

＊検査の内容、順番などは症状や医療機関によって異なる。また除外診断のための各種検査は、ほかの診察科や医療機関ですでに受けている場合は行わないことがある

自律神経機能検査や心理テストも行われる

一般的に、除外診断でほかの病気の有無をチェックしたあと、自律神経機能検査や心理テストが行われます。除外診断が、いわば消去法的な診断であるのに対し、自律神経機能検査では自律神経そのものの働きに異常がないかを調べ、診断の材料とします。

また、自律神経機能検査や心理テストの結果をもとに、その後の治療計画が立てられていくことになります。

それでは次ページから、具体的にどのような面接や検査が行われるのかを、順を追ってみていきましょう。

面接ではこんなことを聞かれる

心のトラブルが影響している自律神経失調症。面接では症状のほか、プライベートについても質問されることがあります。あらかじめ簡潔にまとめておき、正確に答えることが大切です。

症状を正確に伝えよう

自律神経失調症は、血液検査やレントゲン検査などで悪いところがみつかる病気ではありません。そのため、正しい診断と治療のために、症状の現れ方やこれまでの経過、病歴、ふだんの生活の様子などをできるだけ詳しく、正確に医師へ伝えることが大切です。

初診時には、まず症状などについての簡単な質問票に、患者さんに記入してもらう病院が多いようです。そのあと医師によって詳しい面接が行われます。

面接では、いつごろからどんな症状が現れるようになったか、どんなときに症状が現れやすいか、過去に大きな病気をしたかなど、いろいろと質問されます。その場であわてないよう、これらのことを前もって整理しておくとよいでしょう（左ページ参照）。

とくに、症状が現れるようになった前後に、引っ越しや転勤、人間関係のトラブルなど、何か生活環境の変化やストレスになることがなかったか振り返ってみましょう。自分では「こんなことが関係あるかな？」と思うようなことでも、とりあえず医師に話してみることが大切です。

それが症状にどう影響しているのかはすぐに判断できませんが、何か手がかりがあると、その後の治療がやりやすくなります。

プライベートなことを聞かれることも…

面接で、また治療を進めていく中で、医師はさまざまな角度から質問をします。家族構成や仕事の内容、夫婦仲や嫁姑の関係、経済的な事情など、ときには、かなり突っ込んだ質問をされることもあります。

「こんなことを他人に知られるのは恥ずかしい」と思うかもしれません。しかし、心のトラブルが影響している自律神経失調症の治療では、どうしても患者さんのプライベートにまで踏み込んで、話を聞くことが必要になるのです。

医師が患者さんの秘密を口外することはありませんから、安心して正直に話すようにしましょう。

もちろん、どうしても話したくないことは、最初から無理に話さなくてもかまいません。医師に対する信頼が芽生え、話せる準備ができたときに打ち明ければよいのです。医師との二人三脚のつもりで、ゆっくりと歩を進めていきましょう。

初めて受診するときに整理しておきたいこと

①どんな症状があるか

②いつから、どんなきっかけで症状が現れ始めたか

③症状は、いつ、どんな場所で起こりやすいか

④症状が現れたときの気分はどうか

⑤過去に大きな病気をしたことがあるか。また、現在治療中の病気や服用中の薬など

⑥女性の場合は月経の状態や気分、妊娠・出産、婦人科手術の経験の有無など

⑦自分の性格をどう思うか

⑧ふだんの生活の様子

⑨子どものころから今までに経験した大きなできごとなど

⑩家族に同様の症状の人はいるか

自律神経の機能を調べる検査

検査によって自律神経の乱れを確認できる場合があります。検査方法にはいろいろな種類がありますが、症状に応じていくつかを組み合わせて実施するのが一般的です。

自律神経の働きに異常がないかを調べる

　不快な症状があって病院へ行っても、検査ではどこも悪いところがみつからないのが自律神経失調症の特徴の一つです。しかし、自律神経の働きそのものを調べる検査によって、自律神経の乱れを確認できる場合があります。

　自律神経の機能を調べる検査にはいろいろな種類があります。左の表の検査法は、現在よく行われている方法の一部です。ただし、一つの検査だけでは判断が難しいため、症状に応じていくつかを組み合わせて行うのが一般的です。

　なお、自律神経失調症であれば、必ず自律神経機能検査で異常がみつかるとは限りません。そこで、検査で異常がなかった場合でも、さらに心理テストなどを行って、総合的に診断することになります。

いくつかの検査を組み合わせて診断や治療の参考にする

おもな自律神経機能検査の内容

種　類	内　容
シュロング起立試験	横たわった状態と、立ち上がった状態で血圧を測定し、その変動を調べる。自律神経の機能が正常な場合は血圧に大きな変動はない。立ち上がったときに血圧が大きく下がる（最高血圧21㎜Hg以上・最低血圧16㎜Hg以上下がる）場合は、自律神経機能に異常があり、立ちくらみやめまい（起立性低血圧）を起こしやすい状態。また、最高血圧は下がるが最低血圧が上がって、両方の差が小さくなる場合は、血液が手足の末端から心臓へ戻る働き（静脈還流）が不十分と考えられる。疲れやすい、だるい、脱力感などの症状が現れやすい
立位心電図	横になった状態と立った状態で心電図をとり、波形（心拍リズム）の変化をみる。自律神経が不安定で血管や心臓の働きを調整する力が弱いと、立ち上がったときの波形に乱れが生じる
マイクロバイブレーション（MV）	人体の表面にみられる微細な振動をマイクロバイブレーションというが、これを測定・分析し、自律神経機能の状態をみる。室温を20～25℃に保った場所で横になり、安静にする。利き手ではないほうの手の親指に自然に起こる微振動を5分以上測定し、脳波計や心電図と連動させて周波数を求め、コンピュータで分析する
心拍変動検査	心電図の１拍ごとの間隔をコンピュータ解析し、交感神経と副交感神経のバランスをみる
皮膚紋画《もんかく》症の有無	腕の内側などを先端のとがったもので引っかき、皮膚の反応をみる。健康な人なら白い筋がつき、やがて消えるが、自律神経が不安定だと、赤くなったり（赤色皮膚紋画症）、はれ上がったり（浮腫皮膚紋画症）してなかなかあとが消えない。かゆみを感じることもある
鳥肌反応検査	首筋、うなじ、わきの下などに機械的刺激または寒冷刺激を与えて、皮膚の反応（鳥肌）をみる。交感神経が緊張すると立毛筋が収縮して鳥肌が立つが、この反応の強弱によって自律神経の状態を調べる

心の問題を探る心理テスト

ほとんどの心療内科では、面接などと並行して心理テストを実施しています。症状の背後にある心理的な要因を探り、診断や治療に役立てるのが目的です。

本人も気づかなかった心の問題がわかることも…

自律神経失調症の多くは、心理的な要因が深くかかわっています。そのため、症状の背後にどんな要因があるのかを探ることが、診断や治療を進めていくうえでの重要なポイントになります。

基本的には面接が中心になりますが、これと並行して、ほとんどの心療内科では質問紙などによる心理テストを実施しています。心理テストによって、患者さん自身も気づかなかった身体的・精神的症状やストレスに対する感じ方、性格などを客観的に把握し、より効果的な治療を行うための資料とするのです。

テストには、神経症傾向をみるもの、ストレス耐性をみるもの、性格的特性をみるもの、うつ状態をみるものなど、さまざまな種類があります（左ページ表参照）。

質問紙によるテストでは、「あなたは○○ですか」という質問に対し「はい・いいえ」などの答えをマークする

心理テストのいろいろ

種類		内容
神経症傾向	CMI（コーネル・メディカル・インデックス）	アメリカのコーネル大学で開発されたテスト。身体面、精神面、既往症など全204項目の質問により、心身全般をチェックする。本来は神経症傾向をみるために開発されたものだが、自律神経失調症の診断にもよく用いられる
	TMI（東邦大学医学目録）	東邦大学で考案された自律神経失調症の調査表。身体的な自律神経症状を調べる43項目と、CMIから引用した精神的症状に関する51項目からなる。該当項目が多いほど自律神経失調症の疑いが強くなる
ストレス耐性	SCL（ストレス・チェックリスト）	「よく風邪をひくし、風邪が治りにくい」など身体症状に関する30の質問に答え、ストレス状態をチェックする
	STCL（ストレス耐性チェックリスト）	「冷静な判断をする」など20の質問に答え、その人のストレスに耐える力（ストレス耐性）の強弱を判定する
性格的特性	Y－G性格検査（矢田部・ギルフォード性格検査）	社会適応性や性格安定度、活動性、社会的な外向性などを調べる。社会的ストレスに対する耐性や性格傾向がわかる
	MAS（顕在性不安尺度）	日常生活の中で、不安や恐怖をどの程度感じるかを調べる。心因の影響が非常に大きい自律神経失調症は、このテストで診断できる場合がある
	MMPI（ミネソタ多面的性格検査）	アメリカのミネソタ大学で開発されたテスト。多面的に人格傾向を調べる
	PFスタディ（絵画欲求不満テスト）	一定の絵に対する反応から人格傾向を把握しようとする
その他	SDS（抑うつ尺度）	うつ状態の程度を判定する。うつ病との鑑別のために用いられる
	エゴグラム	交流分析（136ページ参照）をもとにした心理テスト。行動パターンを調べることによって、エゴ（自我）の状態を知ろうとする

治療方針はこうして決められる

心療内科の治療では、薬物療法のほか、各種の心理療法や生活指導が行われます。本人の状態や目的などによって、もっとも効果的な方法を選びます。

状態をみて、最適の治療法を選ぶ

自律神経失調症の治療は、心と体の両面からアプローチすることが大切です。また食事や睡眠、運動などの生活習慣に問題がある場合は、医師の指導のもとに改善する必要もあります。これを「全人的治療」といいますが、心療内科で行われるのが、まさにこの全人的治療です。

身体面からの治療は、不快な症状を取り除くための「薬物療法」が中心になります。自律神経の働きをととのえる薬や、抑うつ状態や不安、不眠を解消する薬などが用いられます。

一方、精神面からの治療は、患者さんの不安や緊張をやわらげたり、ストレス耐性を高めたりする「心理療法」が行われます。心理療法には、簡易精神療法や自律訓練法、認知行動療法、交流分析など、さまざまな療法があります。

また、このほかに指圧やマッサージ、温熱療法などの理学療法や、音楽療法などもあります。

これら多くの治療法の中から、その人の状態や性格などを考慮し、さらに、目指す治療の方向性（つらい症状さえとれればよいのか、根本的な治療を望むのかなど）についての患者さんの希望も取り入れて、もっとも適切な療法を組み合わせていきます。

心療内科で行うおもな治療

自律神経失調症の治療

薬物療法

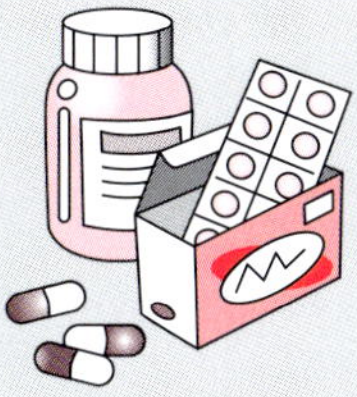

頭痛やめまい、イライラや不安など、心身の不快な症状を取り除く
【おもな薬剤】
・自律神経調整薬
・抗不安薬
・抗うつ薬
・睡眠誘導薬　など

▶ 6章参照

心理療法

心理的要因を探り、ストレス耐性を高めたり心身の安定を図る
【おもな療法】
・簡易精神療法
・自律訓練法
・認知行動療法
・交流分析　など

▶ 7章参照

理学療法

肩こりや頭痛、手足のしびれなどの体の症状をやわらげる
【おもな療法】
・指圧
・マッサージ
・鍼灸療法
・温熱療法　など

▶ 162ページ参照

生活指導

食事や睡眠、運動などの生活習慣を見直し、問題がある場合は改善する。また活動と休息のバランスも見直す

▶ 8章参照

治療にあたっての心がまえは？

心と体の両面からのケアが必要な自律神経失調症は、医師との信頼関係に加えて、本人の「治そう」という気持ちと、積極的に治療に参加する姿勢が大切です。

積極的に治療に参加！

自律神経失調症を克服するためには、自分自身が「治そう」という意思をもって、積極的に治療に参加することが大切です。

たとえば、自律神経が乱れる原因の一つに不規則な生活習慣がありますが、暴飲暴食や夜型の生活を続けている人が、「生活スタイルは変えたくないが、不快な症状は治してほしい」と医師に訴えても、それは無理。医師のアドバイスを聞き、それを日常に生かすのは、本人だけにしかできません。

また自律神経失調症の治療は、症状を取り除くことだけを目的とするのではありません。症状の背後にある心の問題を見極め、それを克服する、あるいはうまくコントロールする方法を身につけて、再び同じような状態に陥らない心身をつくっていくことが最終的な目標になります。

そのために、まず何が原因で病気になったのか、また現在もその症状が続いている要因はどこにありそうか、これまでの生活や自分を振り返ってみましょう。不規則な生活スタイルや人間関係のこじれ、クヨクヨ考えてしまう性格など、症状を引き起こしている根本的な要因に、患者さん自身が気づくことから治療はスタートします。なかには、症状があることによって家族と一緒に過ごす時間が増え、これを「よい」と感じている場合もあります。このような、症状を取り除くきっかけがつかみにくい場合も治療に大きな影響を与えますので、その背景に気づくことが必要なのです。医師や心理療法士は、それを全面的にバックアップしていきます。

自律神経失調症を克服するまで

原因不明の体調不良

↓

自律神経失調症の可能性

↓

- 病院で診察してもらう
- インターネットなどで情報収集
- 自律神経失調症について学ぶ

↓

自律神経失調症と診断される

- 生活習慣を見直し、不規則な生活スタイルを改める
- 病気になった原因は何か、自分の心や性格をみつめてみる
- 薬物療法、心理療法、理学療法などによる治療

積極的に治療に参加・あせらず長期戦で治していく

↓

最終ゴール

- 自律神経のバランスを取り戻す
- 再び同じような症状に陥らない心身をつくり、その状態を保つ
- ストレスにうまく対処できるよう、コントロール法を身につける

あせらず 長期戦で臨もう！

自律神経失調症は、手術で悪いところを治したり、薬を飲めばすぐよくなるという病気ではありません。ですから「全治○カ月」というような回復までの見通しを立てることは困難です。

また、治療に用いられるさまざまな療法の効果の現れ方には、かなりの個人差があります。治療を始めて数カ月で改善する人もいれば、何年も病院に通って心身の安定を取り戻す人もいます。

ですから、症状の変わらない時期が多少続いても、イライラしたり、「このまま治らないのでは……」などと悲観的にならないことです。長期戦のつもりで、マイペースで治療を続けましょう。

ドクターショッピングを 繰り返さないために

〝ドクターショッピング〟という言葉があります。「いくら症状を訴えてもなかなか理解してもらえない」「治療しているのに回復の兆しがみえない」――。こんな不満や不信感が募り、病院を転々と変えていくことです。

自律神経失調症の患者さんの中には、ドクターショッピングを繰り返す人が少なくありません。確かに、心療内科など心身医学の専門医でないと、症状を訴えても「異常ありません」といわれ、適切な診断や治療を受けられないことがあります。また「この医師とはどうも相性が……」ということもあるかもしれません。

自律神経失調症の治療は、医師との信頼関係がとても大切です。ですから治療方針などに疑問や不安があり、質問してもきちんと説明してもらえない場合には、別の

治療効果の現れ方には個人差がある。あせらずマイペースでいこう

医師を訪ねてみることも、ときには必要です。

でも、むやみやたらと病院を変えるのは考えもの。ドクターショッピングを繰り返す患者さんには、「治療すればすぐ治るはず」と思い込んでいる人もいるようですが、まず自分自身が生活改善などの努力をしなければ、いくら病院を変えても同じことです。

治療方針が納得のいくものであれば、とりあえず腰をすえて治療に取り組みましょう。医師との信頼関係は、治療を一緒に進めていく中で少しずつ築いていくものです。また、人間関係で悩んでいる患者さんの場合は、医療における医師・患者関係を築くことが、社会生活の中での人間関係を発展させる練習ともなりうるのです。

こんな医師なら信頼できる！

「患者の話をよく聞いてくれる」「症状の出る理由や治療方法を十分説明してくれる」「質問にわかりやすく答えてくれる」。こんな医師なら安心して治療を続けよう

BREAK ミニ・コラム

家族の理解とサポートも大切

自律神経失調症の患者さんにとってつらいのは、深刻な症状を周りの人になかなか理解してもらえないことでしょう。家族や友人などから「都合の悪いときだけ具合が悪くなる」とか「気にしすぎじゃない？」などといわれた経験をもつ人も多いようです。

軽い気持ちや励ますつもりでいった言葉なのですが、「自分が悪い」と責められているように感じ、とても傷つくことがあります。サポートする家族も自律神経失調症をよく理解し、長い目で見守ることが大切です。

「イイコ」タイプは自律神経失調症になりやすい

●幼児期からの親子関係が影響

日本には、周囲との協調性や人との和を大切にする文化があります。しかし一歩間違えると、必要以上に自己主張を抑えたり、周囲の期待にこたえるために「こうすべきだ」という壁を自らつくってしまい、それがストレスのもとになっていることがあります。いわゆる誰からも好かれる「イイコ」タイプは、ストレスを受けやすく、ためやすいのです。とくに多様な価値観があふれる現代社会では、周囲の期待に合わせるにも限界があるため、心に葛藤《かっとう》や不安を抱えるようになってしまいます。

「イイコ」の特性は、幼児期からの親子関係や親の教育方針が大きく影響して形成されると考えられています。親の期待にこたえるため、つらいことがあっても我慢しがちで、自分を抑えることが習慣になっていきます。親との信頼関係に不安があるので、ありのままの自分を出せないのですが、「親を喜ばせたい」「親に認められたい」という気持ちが強すぎると、いずれ抑えていた欲求が不自然な形で暴走し、思春期に簡単に「キレて」しまったり、成人して社会にうまく適応できなくなってしまいます。

●自分らしさを大切にする

「イイコ」タイプは、もともとまじめで優しく、責任感の強い人に多いのですが、我慢と本音のギャップが、不安、恐れ、いらだち、抑うつ感を生みます。また、人の顔色をうかがう主体性のない自分に嫌気を感じるなどの心理状態が続き、自律神経のバランスがくずれやすくなります。

このようなストレス症状をなくすためには、まず他人への依存心を断ち切ることが大切です。多少の不安はあっても自分で判断し、「たとえ失敗しても死にはしない」といった、ある意味開き直りの境地から、自分らしさを大切にする生き方をスタートさせましょう。

第6章

治療に使われる薬の種類と効果

薬物療法でつらい症状を取り除く

自律神経失調症の治療は、まず薬によってつらい症状をやわらげることから始まります。医師と十分に話し合い、薬を用いる理由や効果、副作用などをよく理解しましょう。

始めに薬で症状を緩和させる

自律神経失調症の治療では、ほとんどのケースで、まず最初に薬を用いた治療、いわゆる薬物療法が行われます。

この病気を自覚するのは、イライラやめまい、頭痛や動悸《どうき》、不眠、食欲不振など心身に現れるさまざまな症状によってですが、これらの自覚症状を放っておくと、それを気に病むことで、さらに症状を悪化させるという悪循環に陥りがちです。

薬物療法は、つらい症状を緩和させると同時に、このような悪い流れを断ち切るためにも必要な治療法なのです。

薬を必要以上に恐れないで

患者さんの中には、「副作用があるから薬を飲むのはイヤ」と、薬物療法をためらう人もいます。

確かにどれほど優れた薬でも、何らかの副作用は必ずあるものです。しかし、自律神経失調症の治療で用いられる薬の副作用は、眠気や便秘など、あらかじめ知っておけば大きな問題とはならないものがほとんどです。

医師は、副作用を最小限にとどめ、効果（主作用）を最大限に発揮させるために、種類や組み合わせ、量、使い方を考えて処方して

薬を服用するときの注意点

用量・用法をしっかり守ろう。薬の効果を上げ、副作用を抑えるために、医師の指示どおりに服用しよう

お酒、お茶、ジュース、コーヒーなどと一緒に服用しない。多量のアルコールを飲んだときは服用を控える

薬に対する不安や疑問があれば、遠慮せず医師に質問・相談しよう。服用中に変化があったときもすぐ報告を

服用が長期にわたるときは、年に1～2回の血液検査を受け、肝機能などをチェックしよう

います。疑問があれば質問し、納得したうえで薬を服用するようにしましょう。その際、必ず医師の指示どおりに服用することが大切で、勝手に量や回数を減らしたりしてはいけません。

副作用を必要以上に心配したり、あるいは勝手に薬の飲み方を変えてしまうことが、病気を長引かせたり、悪化させることにもつながるのです。

医師は患者さん一人ひとりの病歴を聞き、症状や体質、薬の特性を十分に考慮したうえで薬を選んで用いています。

なお、服用後の体の変化などは、必ず医師に報告するようにしましょう。その様子を聞きながら、医師は薬を調整します。

不安をやわらげ、リラックスさせる薬

自律神経失調症の薬でもっともよく使われるのが「抗不安薬」です。一般的には精神安定剤と呼ばれるもので、不安や緊張をやわらげる作用があります。

不安をやわらげて緊張を解く

「抗不安薬」は、「弱力精神安定剤（マイナートランキライザー）」とも呼ばれています。

精神安定剤と聞くと、「怖いもの」とか「強い薬」というイメージがあるかもしれませんが、自律神経失調症の治療では、ごく一般的に使われている薬です。ですから、ことさらに警戒する必要はありません。

この種の薬は、喜怒哀楽などの感情や本能的欲求をつかさどっている大脳辺縁系《へんえんけい》の一部分に作用して、不安をやわらげ、筋肉の緊張をほぐし、リラックスさせる効果があります。そのため、症状にこだわりすぎたり、強いストレスが原因になっているタイプの自律神経失調症には、主要な薬として使用されています。

抗不安薬には、作用の強いものや弱いもの、作用の持続時間が長いものや短いものなど、いろいろなタイプがあり、個々の症状によって使い分けられます。

持病によっては服用できないことも…

抗不安薬の副作用として、眠気、ふらつき、脱力感が現れることがあります。これらの状態は、緊張や疲労感が緩和されてきたために起こるものです。薬の効果が

おもな抗不安薬の種類と作用

作用の強弱	薬剤		作用時間	1日の服用量（mg）
	製品名	一般名		
弱い	ハイロング	オキサゼパム	短い	20〜90
	セレナール	オキサゾラム	短い	30〜60
中程度	コントール、バランス	クロルジアゼポキシド	長い	20〜60
	セルシン、ホリゾン	ジアゼパム	長い	4〜20
	ノブリウム、レスミット	メダゼパム	長い	10〜30
	リーゼ	クロチアゼパム	短い	15〜30
	メンドン	クロラゼプ酸二カリウム	長い	9〜30
	セダプラン	プラゼパム	長い	30〜60
	エリスパン	フルジアゼパム	長い	2.25
	ソラナックス、コンスタン	アルプラゾラム	中間	1.2〜2.4
	メレックス	メキサゾラム	中間	1.5〜3
	コレミナール	フルタゾラム	短い	12
	メイラックス	ロフラゼペート	長い	2
	セディール	タンドスピロン	短い	30〜60
強い	セパゾン、エナデール	クロキサゾラム	長い	3〜12
	レキソタン、セニラン	ブロマゼパム	中間	6〜15
	ワイパックス	ロラゼパム	中間	1〜3
	デパス	エチゾラム	短い	1.5〜3
	レスタス	フルトプラゼパム	長い	2〜4

現れてきた証拠でもありますから、心配する必要はありません。

このほかに、便秘が起こる場合もあります。ひどい場合には、医師に相談して便秘薬を処方してもらいましょう。

注意したいのは、重症のぜんそくなどの呼吸器系の疾患や、心臓病、肝臓病、腎臓系の病気をもっている人の一部です。発作を誘発したり病状が悪化する可能性がありますから、事前に医師に伝えておきましょう。

また、妊娠中の女性も注意が必要です。胎児の発育に影響が出る可能性が高いとされていますから、妊娠中や治療期間内に妊娠する可能性のある人は、必ず医師に報告してください。

自律神経のバランスをととのえる薬

自律神経をコントロールしている脳の視床下部に働きかける「自律神経調整薬」と、自律神経の末端に働きかける「自律神経末梢作用薬」。いずれも自律神経の乱れをととのえます。

バランスを調整する「自律神経調整薬」

「自律神経調整薬」は、体質的に自律神経が乱れやすい人や、症状が軽い場合に用いられる薬です。自律神経の中枢である視床下部《ししょうかぶ》に働きかけ、交感神経と副交感神経のバランスを調整します。

効き方がおだやかで、副作用は眠気を誘う程度です。

肩こりや冷え症などの場合と、頭痛やめまい、立ちくらみなどでは、使われる薬が違います。

自律神経の末端に働く「自律神経末梢作用薬」

体の各器官に作用している自律神経は、体の隅々にまで張りめぐらされています。「自律神経末梢作用薬」は、自律神経の末端部分に働きかけ、特定の場所に現れた症状を改善するために使われます。

自律神経末梢作用薬には、3種類があります。

頻脈《ひんみゃく》や不整脈、動悸《どうき》など循環器に症状が現れるときには、交感神経の興奮をしずめる「ベータ・アドレナリン受容体遮断薬（βブロッカー）」が用いられます。

腹痛や下痢、吐き気、頻尿《ひんにょう》などの症状に対しては「副交感神経遮断薬」が使われます。

また、低血圧や立ちくらみがあるケースでは、「交感神経興奮薬」が効果があるとされています。

おもな自律神経調整薬と自律神経末梢作用薬の種類

種類		薬剤 製品名	薬剤 一般名	作用	副作用・注意
自律神経調整薬		ハイゼット	ガンマオリザノール	更年期に起こる冷え、のぼせなどの緩和・改善	副作用は少ない
自律神経調整薬		グランダキシム	トフィソパム	交感神経の興奮に起因する肩こり、頭痛、手足の冷えなどの緩和・改善	眠気を伴うため、服用後の運転は避ける
自律神経末梢作用薬	βブロッカー	インデラル	塩酸プロプラノロール	交感神経の興奮に起因する動悸、不整脈、不安、緊張などの緩和・改善	ぜんそく、低血圧の人は使用できない
自律神経末梢作用薬	副交感神経遮断薬	ブスコパン	臭化ブチルスコポラミン	けいれん性の胃痛などの胃腸症状の緩和・改善	眠気を伴うため、服用後の運転は避ける
自律神経末梢作用薬	交感神経興奮薬	リズミック	メチル硫酸アメジニウム	めまい、立ちくらみなどの起立性低血圧症状の緩和・改善	高血圧、甲状腺機能亢進症、前立腺肥大のある人は使用できない

B REAK ミニ・コラム

薬の重複服用に注意！

自律神経失調症の患者さんは、心療内科を受診する前に、内科や婦人科など複数の診療科を受診し、それぞれに薬を処方されていることも多いようです。多くの薬を重複して服用すると、思わぬ副作用を招く場合があります。新たな診療科を訪れるときは服用しているすべての薬を持参し、必ず医師に報告しましょう。

また、市販の薬を飲むときにも注意が必要です。たとえば、抗不安薬や睡眠誘導薬を用いている人が一緒に風邪薬を服用すると、眠気やふらつきなどの副作用が強く現れることがあります。風邪薬や鎮痛薬など、日常的によく用いている市販薬があれば、あらかじめ医師に確認しておくとよいでしょう。

落ち込みやイライラに効く薬

抑うつ気分や不安感、イライラの解消に使われるのが「抗うつ薬」です。この種の薬は、顕著な効果が現れるまでに時間がかかる、という特徴があります。

抑うつ気分の改善や不安解消に効く

抗不安薬や睡眠誘導薬（120ページ参照）の効果がみられないときに、「抗うつ薬」が使用されることがあります。

抗うつ薬は、本来はうつ病の治療に用いられる薬です。その名のとおり、抑うつ感の改善がおもな目的ですが、不安感や「何をするにも意欲がわかない」などの症状にも効果があります。

また、頭痛や手足のしびれといった体の痛みに対して、鎮痛効果も期待できます。

抗うつ薬にはいくつかの種類がある

抗うつ薬は、化学構造の違いによっていくつかに大別できますが、自律神経失調症の治療に使われるのは、そのうちの数種類です。比較的新しく開発された「四環系抗うつ薬」と、効果がもっとも高いとされる「三環系抗うつ薬」、もとは精神分裂病のために開発された「ドグマチール」などが代表例としてあげられます。

いずれも少しずつ効用が違ったり、作用の強さが違いますので、医師は患者さんの症状や体質などを考慮して、選択していきます。

排尿障害などの副作用も…

おもな抗うつ薬の種類と作用

種　類	製品名	一般名	作　用	副作用・特徴
三環系	アナフラニール	クロミプラミン	抑うつ気分の解消	おもな副作用に、口渇、眠気、ふらつき、鼻閉感、目のかすみ、頻脈、排尿障害、便秘など
	トフラニール トリプタノール	イミプラミン アミトリプチリン	抑うつ気分の解消、不安の解消	
	アモキサン	アモキサピン		上記の抗うつ薬に比べて副作用が少ない。効果が早めに現れる
四環系	ルジオミール テトラミド テシプール	マプロチリン ミアンセリン セチプチリン	抑うつ気分の解消、意欲亢進	
ほかの構造式	レスリン、デジレル	トラゾドン	抑うつ気分の解消、不安解消、意欲亢進	作用がおだやか。副作用は初期の嘔気
SSRI	デプロメール、ルボックス パキシル	フルボキサミン パロキセチン	抑うつ気分の解消、強迫観念の解消	作用がおだやか。副作用は眠気、初期の嘔気など
SNRI	トレドミン	ミルナシプラン	抑うつ気分の解消、不安の解消、強迫観念の解消	速効性がある。副作用は少ない
その他	ドグマチール、アビリット	スルピリド	抑うつ気分の解消、食欲不振の改善	月経不順や無月経、乳汁分泌などの副作用がある

副作用として考えられるのは、口の渇きや眠気、ふらつき、手の震え、便秘、そして尿が出にくくなる排尿障害などです。排尿障害がある場合は導尿（尿を出やすくする処置）の必要がありますので、すぐに医師に相談してください。また、前立腺肥大のある男性、心臓病や緑内障のある人、お年寄りは、用量に注意しましょう。

抗うつ薬は、すぐに効き目が現れる薬ではありません。効果が現れるのは、飲み始めてからおおむね1〜2週間たってからで、副作用はそれよりも早く出ます。

この点をよく理解し、途中で勝手に薬を飲むのをやめたりせず、医師の指示どおりに服用するようにしましょう。

不眠を解消し、体のリズムをととのえる薬

不眠などの睡眠障害は、生活のリズムを狂わすだけでなく、それ自体がストレスになり、症状を悪化させることにもなりかねません。この悪循環を防ぐのが「睡眠誘導薬」です。

健康的な眠りを取り戻す

「よく眠れない」「眠りが浅い」などの睡眠障害は、自律神経失調症の代表的な症状の一つです。睡眠障害がやっかいなのは、そのために生活のリズムがくずれて絶えず時差ボケのような状態になったり、「また眠れないのでは……」という不安感がさらなるストレスとなって、動悸《どうき》、呼吸困難などを引き起こしてしまうことです。

このような悪循環を断ち切るために用いられるのが、「睡眠誘導薬」です。健全な睡眠を取り戻すことが規則正しい生活につながり、それが生体リズムをととのえ、やがては自律神経の自己調整能力を高める、という一連の流れをつくることが、服用の目的です。

勝手に用量を変えるとリバウンドを招くことも…

睡眠障害にはいくつかのパターンがあります。また睡眠誘導薬も作用する時間の長短によって、数種類に分類されており、睡眠障害のタイプによって、使い分けられます。

たとえば、床についてもなかなか眠れない「入眠障害」には短時間作用型の薬を、また眠った感じが得られない「熟睡障害」には中時間作用型を、というように、症状によって処方が違ってきます。

おもな睡眠誘導薬の種類と作用

作用時間	薬剤		1日の服用量 (mg)
	製品名	一般名	
短い	ハルシオン	トリアゾラム	0.125~0.25
	アモバン	ゾピクロン	7.5~10
	デパス	エチゾラム	0.5~3
	レンドルミン	ブロチゾラム	0.25
	ロラメット、エバミール	ロルメタゼパム	1~2
	リスミー	塩酸リルマザホン	1~2
	マイスリー	ゾルピデム	5~10
中間	ロヒプノール、サイレース	フルニトラゼパム	0.5~2
	エリミン	ニメタゼパム	3~5
	ユーロジン	エスタゾラム	1~4
	ベンザリン、ネルボン	ニトラゼパム	5~10
長い	ダルメート、ベノジール	フルラゼパム	10~30
	ソメリン	ハロキサゾラム	5~10

服用に際してとくに気をつけたいことは、医師から指示された用量を必ず守るということです。効果があったからといって勝手に用量を減らしたり、中止してしまうと、再び睡眠障害に陥ったり、イライラ感が現れることが少なくありません。それどころか、以前よりもっと眠れなくなること(反跳性《はんちょう》不眠)もあるのです。

不眠は自律神経失調症の大敵。“健全な眠り”を取り戻して、生活リズムの乱れや不安な気持ちを退治しよう

ビタミン剤やホルモン剤が処方されることも…

患者さんの状態によって、「ビタミン剤」や「ホルモン剤」などが処方されることがあります。いずれも、医師の指示に従って、正しく服用することが大切です。

「ビタミン剤」にはいろいろな効果がある

自律神経の機能改善に「ビタミン剤」が有効なことがあります。

たとえばビタミンEは、さまざまなホルモンを分泌する脳下垂体という脳の部分や卵巣に働きかけ、ホルモンのバランスをととのえます。女性の更年期に起こりやすい手足の冷えやのぼせ、めまいなどの症状緩和に処方されます。

また疲れやすい、だるいといった症状には、疲労物質をできにくくするビタミンB_1が効果を発揮します。この場合は、総合ビタミン剤を服用してもよいでしょう。

ホルモンのバランスをととのえる「ホルモン剤」

女性は思春期や更年期、あるいは月経の前後、妊娠中、出産後、授乳期など、さまざまな時期にホルモンのバランスがくずれやすく、自律神経失調症になってしまうことがあります。このようなときに、「ホルモン剤」を用いて治療することがあります。

たとえば、更年期に起こる症状には「エストロゲン（卵胞ホルモン）」や「テストステロン（男性ホルモン）」などが使われます。

自己治癒力を高める「漢方薬」

自己治癒力を高める薬として、

ほかに「漢方薬」をあげることができます。

漢方では、心と体を一体のものととらえ、そのバランスを調整することで自己治癒力や免疫力を高め、症状を緩和していきます。詳しくは7章の漢方療法（156ページ参照）で紹介しています。

健康食品として各種のビタミン剤が市販されているが、なかには、とりすぎると体によくないものもある。必ず医師の指示に従おう。なお、ビタミンを食事でとる分には、とりすぎる心配はない

処方されるビタミン剤・ホルモン剤

種　類		効　能
ビタミン剤	ビタミンB_1、B_6、B_{16}	疲労感、倦怠《けんたい》感の改善
	ビタミンB_{12}	疲労感、倦怠感、手足のしびれなどの改善
	ビタミンE	手足の冷えの改善
	ビタミンC	免疫低下などの改善
ホルモン剤	エストロゲン（卵胞ホルモン）	更年期におけるイライラ、手足の冷え、のぼせなどの症状の改善
	テストステロン（男性ホルモン）	

「必ず治る！」と信じることが完治への近道

●信じる気持ちから始まる

自律神経失調症の患者さんは、えてして一人で不安を抱え込んでしまったり、ものごとを懐疑的にとらえてしまうような傾向があります。それだけに、医師とのコミュニケーションを深め、医師を信じる気持ちが大切です。そして、治療の効果を信じることが、病気を早く治すための近道といえます。

このことは、心理療法だけでなく、薬物療法でも同じです。患者さんの中には、薬の副作用を極端に怖がったり、薬に頼ることに罪悪感を覚えたりする人もいますが、イヤイヤ薬を服用しても、思ったような効果は上がりません。

●小麦粉を飲んで症状が改善する!?

薬には薬理効果だけでなく、心理効果もあることが証明されています。これを「プラセボ効果」といいます。プラセボとは“ニセ薬”のことです。「この薬は、あなたの病気にとてもよく効きますよ」といわれ、その言葉を信じて飲んだ患者さんは、実際にはそれが小麦粉であっても、症状がやわらいでいくというのがプラセボ効果です。

実際の治療で医師がニセ薬を出すことなどはありませんが、薬にせよ、そのほかの治療法にせよ、「病気を治すために必要で有効な手段だ」と心から納得していれば、それだけ治りが早いことを覚えておきましょう。

また、納得できないことや、気になる症状などが出てきたときには、自己判断せず、医師に報告して確認しましょう。症状や状態、治療法などをしっかりと説明して同意を得る、いわゆる「インフォームド・コンセント」はとても大切です。遠慮せず、気軽に相談しましょう。

第7章

心と体をいやすさまざまな療法

心にアプローチする心理療法のいろいろ

心理療法とは、薬物を用いず、自律神経失調症の背後にひそんでいる心理面の問題に目を向け、ストレスを取り除いていく治療法です。再発を防止するためにも重要な治療法といえます。

症状の背景にある心理的な問題を探る

自律神経失調症には、不安感や悩み、人間関係などのトラブル、病気に対する恐怖心など、心理的な問題がかかわっていることがよくあります。

心理療法とは、医師と患者さんが力を合わせて、そこにある不安や緊張を解消していくことで心の重荷を取り去り、さらにストレス耐性を高めたり、心のバランスをよくしていく治療法です。

成功のカギは信頼関係と積極性

心理療法という大きなくくりの中には、約40もの種類があるといわれています。

多くの療法のうちどの方法を用いるかは、ケースバイケースです。症状や心理的・社会的要因の程度、患者さん本人の性格やライフスタイルなどを考慮して、最適なものが選ばれます。

大切なことは、どの療法を受けるにせよ、

・患者さんと医師の間に強い信頼関係があるか。

・患者さん本人が心理療法の必要性を理解し、積極的に治療を受けているか。

ということです。病気を少しでも早く治すために、この点をしっかり理解しておきましょう。

心理療法のおもな種類

アプローチ	目的	おもな療法
支持的アプローチ	患者に共感し、精神的に支持や助言を与える	・簡易精神療法※ ・一般心理療法※ ・カウンセリング※
行動療法的アプローチ	よくない生活習慣から抜け出し、改善することを助ける	・行動療法※ ・認知行動療法
精神分析的アプローチ	性格に起因する問題の解決を手助けする	・交流分析※ ・精神分析的療法 ・フォーカシング
自律的アプローチ	身体的なセルフコントロールによって、心と体をリラックスさせる	・自律訓練法※ ・筋弛緩法 ・絶食療法※ ・バイオフィードバック法※
東洋的アプローチ	東洋の伝統的世界観を参考にして、自分の存在価値を再認識させる	・森田療法※ ・内観法

※印のあるものは健康保険の適用が認められている療法

会話を通じて心をいやす「簡易精神療法」

患者さんと医師が、会話を交わしながら進めていくのが簡易精神療法です。すべての心理療法の基本となるもので、これだけで症状がよくなるケースも少なくありません。

これだけで症状が改善することも…

簡易精神療法は、数ある心理療法の中でも、もっとも基本的なものです。不安、葛藤《かっとう》、摩擦、トラウマなどの心の問題を、医師と話し合うことでいやしていくことから、〝言語的心理療法〟ということもできます。

簡易精神療法は、どの病院でも一般的に行われている療法です。面接（98ページ参照）との違いがわかりづらいために、治療とは気づかない患者さんもいますが、この療法だけで症状が改善する場合も少なくありません。不安や心配が症状の誘因となっている患者さんの場合は、とくに有効です。

患者の気持ちや訴えを聞き入れる「受容」

いろいろな症状があるのに原因がはっきりしないため、人から理

面接によって心の問題を解き明かし、完治への道すじを探っていく

簡易精神療法の３つのプロセス

1
患者の悩みや訴えを聞き入れ、受けとめる
受容
それはつらいですね
2
悩みながら生きる姿を支える
支持
心配されるのは当然ですね
3
疑問に答え、希望がもてるよう約束する
保証
よくなりますよ

解してもらえないのが自律神経失調症の特徴といえます。そのため不満が募ったり、不安感が強くなってしまうことがあります。

そんなときに、専門家である医師がしっかりと患者さんの訴えや不安に耳を傾け、「それは、つらいですね」と認め、理解してあげることで、患者さんの気持ちはいくらかでも落ちつくものです。

この、患者さんの訴えを聞き入れ、受けとめてあげることを「受容」といい、簡易精神療法では最初のステップと位置づけられています。

不安な心を支える「支持」と「保証」

受容によって患者さんの心が落

ちついたところで、医師は「自律神経失調症はたいへんな病気だから、と悩んでこられたのですね」と、話します。

受容・支持・保証は、患者と医師との信頼関係を築き、深めるための基礎にもなる

これは、自分の生き方、症状とのつきあい方に自信を失いかけている患者さんの心を支え、前向きな気持ちで病気と向き合ってもらうために行われるステップで、「支持」と呼ばれます。

次に医師は、なぜ、どのようにして病気が起こったかを説明し、同時に「必ず治る」ことを約束します。これを「保証」といい、不安をぬぐい去るために行われます。

このように、会話を交わしながら受容・支持・保証の3つのステップを踏み、心をいやしていくのが簡易精神療法です。「悩みを理解してもらった」「応援してもらえる」と感じただけでも、病気に立ち向かう勇気がもてるのです。

BREAK ミニ・コラム

一般心理療法、カウンセリングとは？

病院で日常的に行われる心理療法全般を、「一般心理療法」といいます。簡易精神療法と同じく、受容・支持・保証を基本としているため、両者を同じものと考える場合もあります。また、同様の面接形式をとる「カウンセリング」も、これらと同じ位置づけがされています。

ところで、“カウンセリング”という行為は医療現場以外のさまざまな場面でも行われていますが、心療内科で行うカウンセリングは、患者さんが自分で答えをみつけることを目的としています。医師や臨床心理士はそれを援助するのが仕事です。ですから、よくある悩み相談のように、どうすべきかということを医師が指示することはありません。

医師のカルテから 1・簡易精神療法による治療例

会社員Aさんのケース（33歳、女性）

●症状・主訴：全身倦怠感、めまい、不眠、嘔吐

Aさんは入社10年。これまで仕事や人間関係において多少の問題はありましたが、それらをきちんと乗り切ってきました。

しかし、3カ月前から夜眠れない日が続き、めまいや吐き気に悩まされるようになったため、内科を受診。精密検査を受けましたが、異常はみつかりませんでした。そこで心療内科を訪れました。

面接では、Aさんが新たに生じた社内での人間関係について、悩んでいることが確認されました。じつは本人も、それが精神的ストレスとなっていること、体の症状となって現れているかもしれないことを、ある程度自覚していたようです。しかし、誰にも相談せず一人で対処していました。

面接によってわかったAさんの性格的な背景は、①まじめ、②争いごとを好まない、③他人に対する気づかいをとても重視する、ということでした。不快に感じてもその感情をあらわにするのが苦手で、他人に反発することもなかったのです。

Aさんの場合、たまりにたまった感情が本人の処理能力を超えてしまい、自律神経を変調させるという形で現れたケースと診断できます。

そこで 治療に際しては、

①まず、今までさまざまな事柄に適応してきた本人の対処能力を評価する。

②現在の苦悩と葛藤《かっとう》にしっかりと耳を傾け、共感する。

③支持的に、新しい心の対処方法を獲得できるように、方向を示す。

以上を行いました。

具体的には、「不快なときには、不快であることをはっきりと表現する」ように、自分を変えていくことから始めました。たとえば、自分の心の苦悩を誰かに話すだけでも、ずいぶんと気持ちがらくになるものです。

5カ月後、「周囲を気にしすぎて、自分で自分を苦しめていた」ことや「相手が変わらないのであれば、自分が受けとめ方を変えていくしかない」などの“気づき”を経て、Aさんの症状は改善されていきました。

考え方の〝ゆがみ〟を修正する「認知行動療法」

その人のもののとらえ方や思考などによって、病気が引き起こされていることがあります。そこにひそむ問題点を少しずつ明らかにし、症状の改善を目指すのが認知行動療法です。

認知のゆがみが症状につながることも…

ものごとの受けとめ方、考え方などを「認知」といいます。認知は一人ひとりの生き方を左右し、個性の基盤となっています。

もしこの認知に〝ゆがみ〟があると、誤った判断をしてしまったり、現実の状況に適応できなくなってしまい、やがて自律神経失調症が引き起こされてしまうことがあります。実際、自律神経失調症の誘因となる不安や葛藤《かっとう》の背景には〝認知のゆがみ〟があるケースが少なくないのです。

認知行動療法は、「刺激を受けたときの認知に問題があると、体や行動面に悪影響を及ぼす」という考えが基本になっています。

そこで、

①認知のゆがみにつながったきっかけを明らかにする。

②認知のゆがみを患者さん自身に気づいてもらう。

③柔軟性をもった考え方に変えていく。

という手順で症状の改善を図り、現実社会に適応できる心と体を取り戻していきます。

認知行動療法の進め方

たとえば、電車内で突然、動悸《どうき》やめまい、息苦しさなどを感じ、激しい不安や恐怖におそわれた場

認知行動療法の基本となる3つの考え方

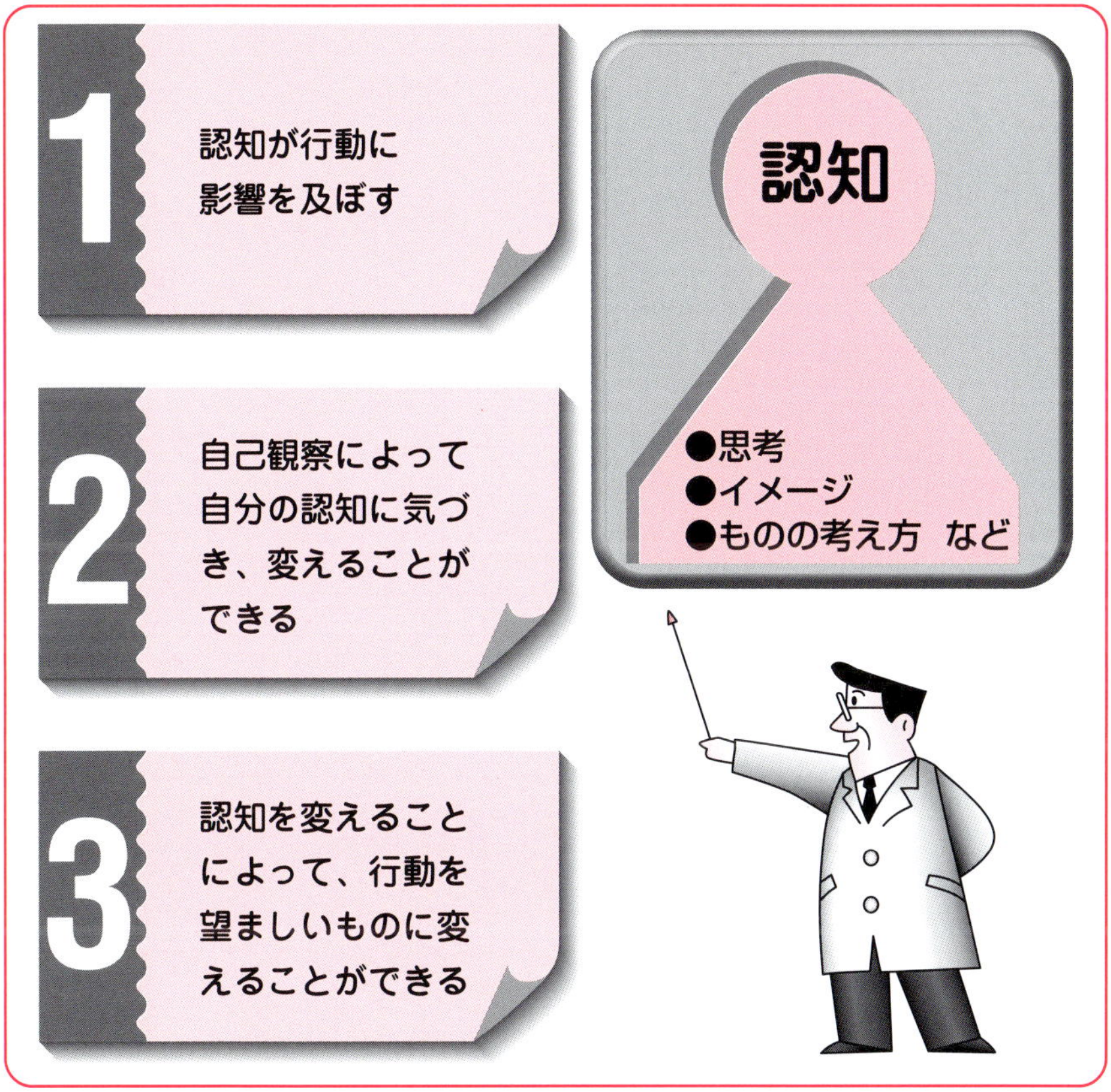
1
認知が行動に
影響を及ぼす
2
自己観察によって
自分の認知に気づ
き、変えることが
できる
3
認知を変えること
によって、行動を
望ましいものに変
えることができる
認知
●思考
●イメージ
●ものの考え方　など

合。気分が悪くなったのは「電車に乗ったためだ」と思い込み、「私は電車に乗ると気分が悪くなる」「また発作が起きたら対処できない」と考え、電車に乗れなくなってしまう人がいます。

　これはパニック障害と呼ばれる、自律神経失調症に関連した病気です。体の変調を発作が起きたときの状況や場所に結びつけてしまい、その状況や場所そのものが不安の対象になったケースです。

　この場合、医師は次のような段取りで治療を進めていきます。

①始めに面接や心理テストを行って、認知のゆがみを把握する。

②本当に電車に乗ったことに問題があるのか。疲れがたまっていたとか、自分では気づかず体調

をくずしていたことはないかなど、いろいろな可能性を患者さん自身が考えられるように話し合う。

③患者さんの理解と承諾を得て、始めは一駅だけ電車に乗ってもらい、問題が起こらないことを確認しながら徐々に距離を延ばし、電車に乗ったことそのものが変調の原因ではないことを、実体験として確認してもらう。

このほか、客観的に自分をみつめるために症状の現れ方を記録したり、日々の考え方について日記を付けてもらうこともあります。

これらの治療を積み重ねて認知のゆがみを修正し、考え方の選択肢を増やして、心理的に余裕をもった生活ができるようにしていくことが、目標となっています。

改善の度合いがはっきりとわかる

認知行動療法の特徴は、最初に思考パターンや、心・体に現れる症状、行動、強いストレスを受けた状況を明らかにしてから治療に入るので、症状が改善されていく様子が、患者さん自身にもはっきりわかる点にあります。

前述のパニック障害の患者さんの場合なら、「昨日は一駅分乗れた、今日は二駅分乗れた」というように、改善の度合いがはっきりとわかり、「電車に乗ったからといって、必ず起きるものではない」ことを、実感することができるわけです。

BREAK ミニ・コラム

認知のゆがみに気づくことが大切！

認知行動療法では、何よりも患者さん自身が、認知のゆがみを認識することが大切です。

そのためには、自分の行動をある程度客観的に分析する能力や、考え方を広げていく意識が必要です。また、問題のある認知を改めていこうとする努力も必要とされます。

したがって、高齢で、判断力の低下した方などにはあまり向かない治療法ということもできるでしょう。

認知行動療法はこうして進められる

心理テストや面接

↓

認知した過程や理由を話し合う

↓

ほかの考え方、認知がないかなどを話し合う

↓

これまでの認知が正しいか、あるいは間違いかを実際に行動して確認する（医師・カウンセラーが同行することもある）

↓

認知にズレがあったことを知る！

↓

治癒を目指す

よりよい人間関係を築くための「交流分析」

自分自身や他人との交流のしかたを分析して、性格のひずみや問題のある対人関係を改善していく治療法です。構造分析、交流パターン分析、ゲーム分析、脚本分析などがあります。

自分を分析して現在の自分を変える

交流分析とは、自分を分析してありのままの自身を知り、また他者との交流のしかたを分析して、明らかになった問題点を改善していこうとする、心理療法です。

①人は誰でも、「親（P—Parent）」「大人（A—Adult）」「子ども（C—Child）」という3つの自我がある。

②過去と、他人の考えや行動を変えることはできないが、現在の自分は変えることができる。

③感情、思考、行動の総責任者は自分自身である。

以上の3つの理論が基本となり、自分を変えることでストレスに対処しようとする治療法です。

そして、「構造分析」「交流パターン分析」「ゲーム分析」「脚本分析」の4つの方法を柱としています。

交流分析では、心の状態や思考、行動のしくみを、記号や図を用いてわかりやすく説明することができるため、自己啓発や人間関係改善の手だてとして、多方面で利用されています。

自我を分析する構造分析

交流分析では、人間には親（P）、大人（A）、子ども（C）の3つの自我があると考えますが、構造分析では、これをさらに細分化し

交流分析の基本となる３つの考え方

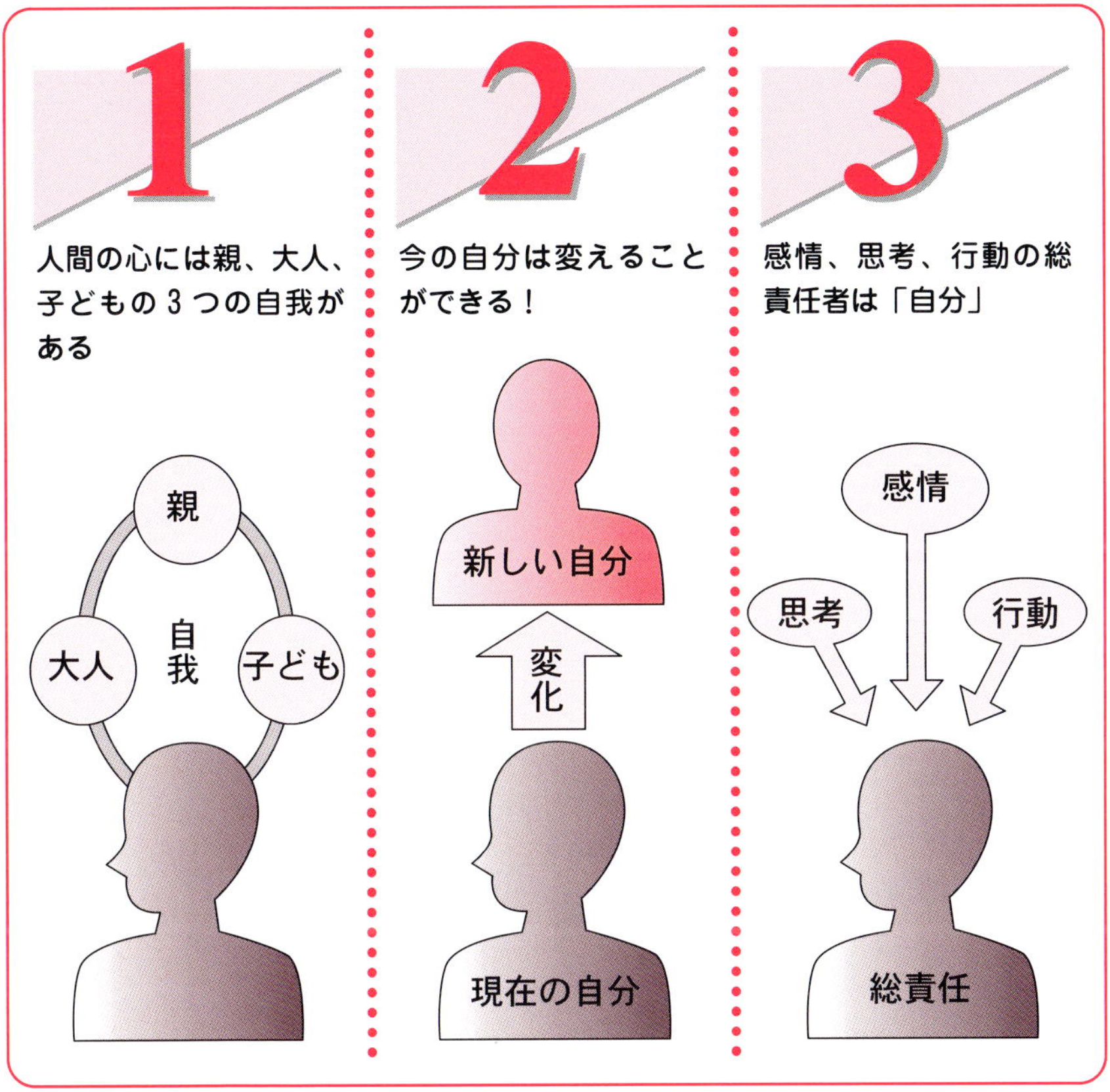
1
人間の心には親、大人、子どもの３つの自我がある
親
大人
自我
子ども
2
今の自分は変えることができる！
新しい自分
変化
現在の自分
3
感情、思考、行動の総責任者は「自分」
感情
思考
行動
総責任

て、次にあげる５つの自我があると考えます。

①批判的で厳しい親（ＣＰ）
②保護的でやさしい親（ＮＰ）
③理知的で合理的な大人（Ａ）
④自由で本能的な子ども（ＦＣ）
⑤順応性の高い子ども（ＡＣ）

この中のどの自我が強く、あるいは弱いかを、エゴグラムと呼ばれるテストを用いて調べていくのが構造分析です。

エゴグラムは、いくつかの質問に答えて点数を集計し、グラフにプロットします。自律神経失調症が疑われる人は、ＮＰが高くＦＣが低い〝献身パターン〟や、Ａが低い〝葛藤《かっとう》パターン〟、ＡＣが低い〝頑固パターン〟といった結果になる傾向があります。

他人との接し方をみる
交流パターン分析

どのようなコミュニケーションのしかたをしているかを解明するのが、交流パターン分析です。たいてい構造分析の次に行われます。

人は他人と交流するときにも、必ずP、A、Cのいずれかを使っていると考えられます。しかもよく使う自我はおおよそ決まっているものなのです。

そこで、どの自我を使ったコミュニケーションを多く行っているかを調べることで、自分の性格的な欠点や交流のしかたの問題点を知り、よりよい交流方法を身につける手だてとしていきます。

たとえば、相手も自分も大人Aの自我で交流している場合は、お互いに期待どおりの反応が返ってくるため、良好な人間関係を保つことができます。しかし、大人Aの相手に対し、違う自我を使って交流すると、感情的な対立や誤解を生じやすく、トラブルに発展してしまうこともあるのです。

交流パターン分析に基づいたコミュニケーション法のポイントについては、172ページで紹介しています。

交流パターン分析の結果をもとに、医師は患者の性格上の問題点や他人への対応のしかたを分析し、人間関係をうまくコントロールできるように導いていく

人間関係の問題点を探る
ゲーム分析

ゲーム分析とは、対人関係におけるトラブルの原因を分析する技法で、数人単位でのグループ療法

を行うこともあります。

ここでいうゲームとは、なぜか繰り返してしまう、不快な感情を生むコミュニケーションのことをいいます。相手にとって心地よさそうな言葉を口にしながら、その裏には別の本音が隠されている形の交流です。

たとえば、「今日も素敵なお洋服ですね」と話しかけながら、心の中では「似合いもしないくせに……」などと思っているようなケースです。

ゲームは他者を不愉快にさせるだけでなく、結果的には仕かけている側も自己嫌悪を感じるのですが、やがてはまた繰り返してしまう傾向にあります。これは、上辺だけにせよ交流が続いていくことが一因で、加えて他者から評価されたいという気持ちや、自分をアピールしたいという気持ちが働いている場合もあります。

ゲームを繰り返しやすい患者さんに対しては、

①相手から仕かけられたゲームには乗らない。

②時間を浪費せず、有意義なときを過ごすように心がける。

などをすすめ、誠実で良好な交流ができるよう指導していきます。

人生の脚本を書き直す
脚本分析

交流分析には、人の一生を一つのドラマととらえ、一人ひとりが自分の人生の脚本をもっているという考えがあります。生き方や選

BREAK ミニ・コラム

エゴグラムでみる性格のタイプ

エゴグラムテストの結果から、おおまかな性格のタイプを知ることができます。

ＣＰ（父親的要素）が強い人は、他人に支配的な態度をとりやすいボスタイプ。Ａ（理知的な大人の要素）が強い人は、客観的、合理的思考ができる学者タイプ。ＦＣ（自由な子どもの要素）が強い人は自由奔放なタイプとみることができます。

表・裏のある交流からはこんなゲームが生まれる

「キック・ミー」ゲーム

キック・ミーとは「私を責めて」という意味。わざと他人を挑発し、自分に反撃させて、周囲の注目を得ようとする。自分からゲームを仕かける典型的パターン

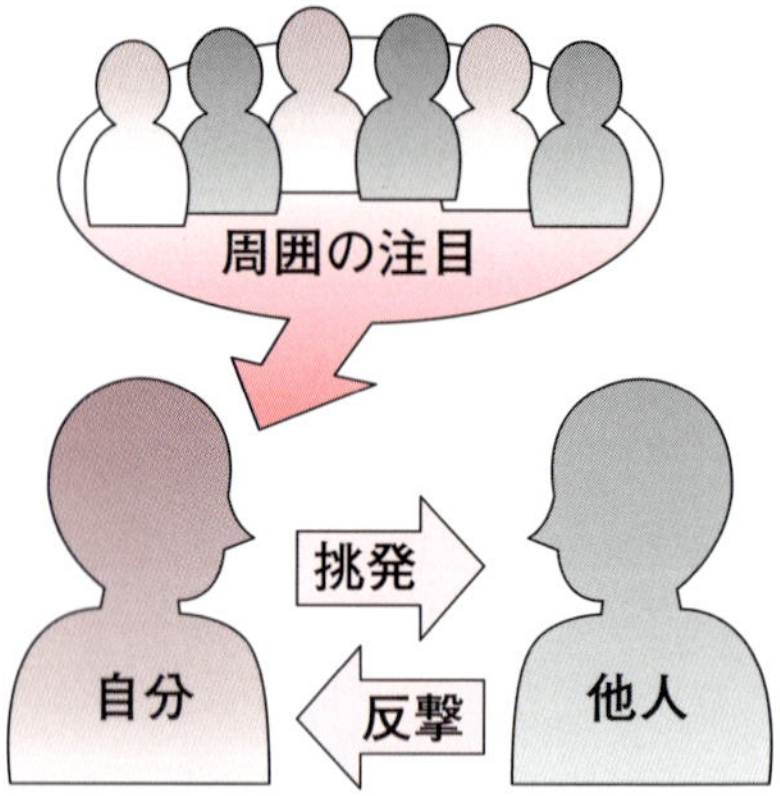

「イエス・バット」ゲーム

相手の意見に対し、一見イエス（はい）と同意しながら、心の中ではバット（しかし）……と異論をもっていて、それを変えようとしない

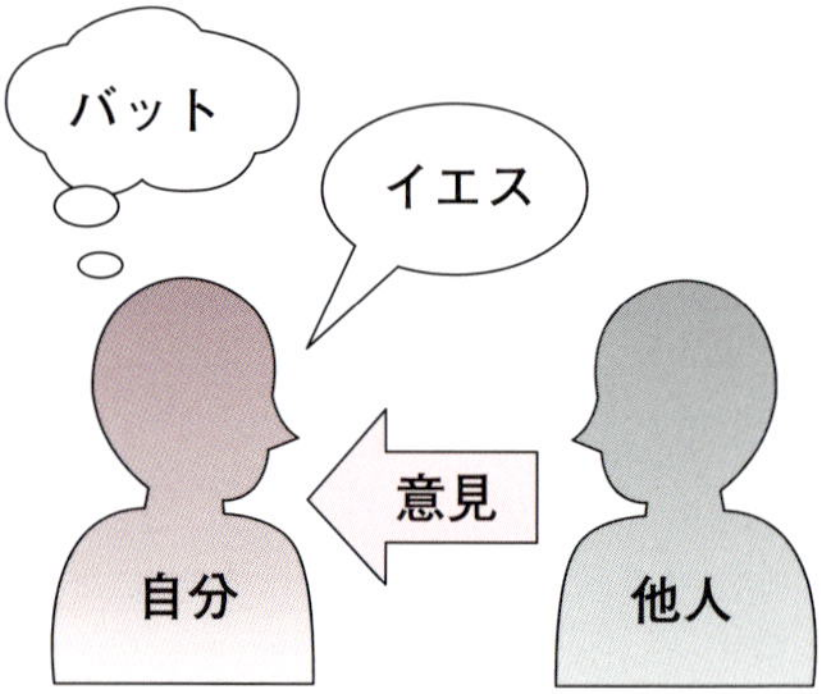

「グチの繰り返し」ゲーム

何かの問題に直面したときに、「グチ」を繰り返すことで逃れようとしてしまう

択の基準、行動の規範となる脚本です。これは、親から影響を受けた価値観や、無意識に受けてきた禁止令などがベースとなって、つくられていると考えられます。

この脚本のある部分が影響して、思わぬ悪い結果を引き起こしてしまうことがあります。たとえば、「つねに強く生きなくてはいけない」といわれ続けて育った人が、利己的で他人の協力を受け入れられない性格になってしまう、などがそれです。

治療は、心の奥底にある〝禁止令〟に気づいてもらうことから始めます。完全である必要はないことを理解し、好ましくない脚本を健全なものに書き換えていくことが、脚本分析の目的です。

脚本分析では、親から無意識に受けてきた「○○であるべき」「○○するな」といった価値観や禁止令の呪縛を解き、マイナスの脚本を書き直していく

BREAK ミニ・コラム

治療目標の2つの方向性とは？

心療内科での治療は、最終的には同じ症状を起こさない心身をつくることを目標としています。この考え方を「成長モデル」といいます。これに対し、内科・外科的治療による症状の改善を至上目的とする考え方を「医療モデル」といいます。

自律神経失調症の治療はもちろん前者が理想ですが、患者さんの中には「とりあえず今のつらい症状がなくなればよい」という人もいます。このような場合、その人の希望も尊重されなければなりません。治療は患者さんと主治医の共同作業ですから、どんな治療目標に向かって、どんな方法で行っていくか、よく話し合っておくことです。それが治療をスムーズに進めさせてくれます。

心身をリラックスさせる「自律訓練法」

自己暗示により心身をリラックスさせる自律訓練法は、自律神経失調症の代表的な治療法です。心身の緊張を取るほか、日常の行動様式を〝ユックリズム〟にする効果もあります。

自己暗示によって自律神経のバランスを調整

自律訓練法は、自己暗示をかけることで心身をリラックスさせ、自律神経のバランスをととのえていく治療法です。ドイツの精神科医シュルツによって１９６２年に考案されて以来、心療内科における代表的な治療法として、広く使われています。

具体的には、体の筋肉の緊張を解きほぐすことによって、中枢神経や脳の機能を調整し、本来の健康な状態へ心身をととのえていきます。

全身のリラックスを図る「標準公式」、特定の器官の緊張を取り去る「特定器官公式」、自らの意思で症状の再発を防ぐ「意思訓練公式」の３つの方式があり、そのうち、やや特殊な特定器官公式と意思訓練公式は原則として医師の指導のもとに行います。

第1、第2公式だけでも効果が期待できる！

標準公式には、準備段階にあたる背景公式と、６段階の公式（１４４ページ参照）がありますが、このうち背景公式と第１、第２公式だけでも効果があります。

なお、最後には必ず、暗示を解くための「消去動作」を行います。

自律訓練法は、一度覚えてしまえば手軽に行えるものです。副作用もほとんどなく、誰でも緊張や不安を取り除きたいときに行えます。とくに、筋緊張性の頭痛、肩こり、入眠困難型の不眠、過敏性腸症候群などには有効です。

最近では自律訓練法を習得するための本やビデオも市販されていますが、始めは心療内科の医師など専門家による指導を受けたほうがよいでしょう。カルチャーセンターの講座を受講してみるのも一つの方法です。

自律訓練法の基本姿勢と呼吸

姿　勢　体の力を抜いてらくにする

〔あおむけの場合〕

・両足は軽く開く
・目は軽く閉じる

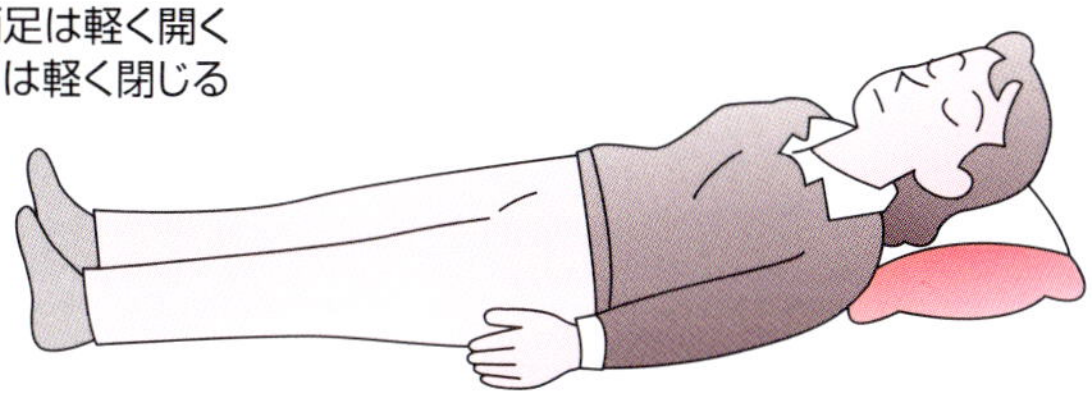

〔イスに座る場合〕

・手はひざの上でらくに
・頭は少しうつむきかげんに
・目は軽く閉じる

呼　吸　姿勢をとり、背景公式に入る前に行う

少し吸ってから、ゆっくりとお腹の底から長く深く吐く。これを3回ほど繰り返す

自律訓練法（標準公式）の流れ

背景公式

「気持ちがとても落ちついている……」という言葉を口に出さず、頭の中で2〜3回繰り返す

第1公式（重感）

「右手が重い」と頭の中で繰り返し、右手が重い感覚をイメージ。右手、左手、右足、左足と進める

第2公式（温感）

「右手が温かい」に始まり、第１公式と同じように、四肢すべてが温かくなるイメージをつくる

第3公式（心臓の調整）

「心拍が規則正しく打っている」と暗示をかけ、意識する

第4公式（呼吸の調整）

「らくに呼吸している」と暗示をかけ、意識する

第5公式（腹部の温感）

「お腹（胃のあたり）が温かい」と暗示をかけ、意識する

第6公式（額部の涼感）

「額が涼しく気持ちいい」と暗示をかけ、意識する

消去動作（必ず行う）

①両手でこぶしをつくり、パッと開く。これを2〜3回繰り返す

②両腕を曲げたり伸ばしたりする。これを2〜3回繰り返す

③目を閉じ深呼吸を2〜3回して、大きく伸びをしてから目を開ける

＊第3〜6公式は、必ず医師の指導のもとに行うこと

＊食後、入浴後、就寝前などに1日2〜3回、毎日行うのが効果的。また服装はらくなものがよい

医師のカルテから 2・自律訓練法による治療例

会社員Bさんのケース（25歳、女性）

●症状・主訴：肩こりなど

Bさんは、あるときから急に肩こりに悩まされるようになりました。症状はとくに夕方にひどく、また日曜日にはあまり起こらないこと、ゆっくりとお風呂につかると多少よくなることがわかってきました。

整形外科などで薬物治療や牽引《けんいん》療法などを試してみましたが、効果はありませんでした。そこで心療内科を受診することにしました。

● ●

面接により明らかになったのは、Bさんの肩こりの背景には、①会社で、毎日長時間パソコンに向かって仕事をしている、②上司がきちょうめんすぎる人で、いつもストレスを感じている、ということです。

心療内科では自律訓練法を行うことになりました。「第1と第2公式だけでも十分」という医師のアドバイスもあり、Bさんはその2つにしぼって毎日練習しました。始めて約2週間後には、少しずつ肩が軽くなってくるのを感じるようになりました。

加えて、彼女は自分なりの工夫をこらして訓練を行いました。できるだけ身体感覚を感じるように、背景公式の際や第2公式が終了したときに、体のこりや緊張・弛緩を、第三者がながめるような気持ちで、客観的に確認するようにしたのです。また、仕事の最中にもできるだけ身体感覚を感じるように意識してみたところ、パソコンに向かっているときに、必要以上に肩に力が入っていることに気づいたそうです。

まもなくBさんの肩こりは完治しましたが、これは自律訓練法の効果だけではなく、「治したい」というはっきりとした意思と、彼女なりの工夫が功を奏した結果といえるでしょう。

あるがままの自分を受けとめる「森田療法」

あるがままの自分を受けとめ、症状があっても、とりあえず建設的な気持ちのままに行動することによって、日常生活をその人らしく送れるようにしていくのが森田療法の目的です。

あるがままの自分を受け入れる

森田療法は1920年代に、精神科医、森田正馬氏によって確立された心理療法です。もとは「森田神経症」という神経症の治療のために開発されましたが、症状にとらわれすぎてしまうタイプの自律神経失調症の患者さんにも効果が高く、広く利用されています。

この療法の根底に流れる考え方は、〝あるがままの自分を受け入れる〟というものです。

「緊張」は誰にでも起きるもの

たとえば人前で話すとき、緊張して胸がドキドキしたり、妙に落ちつかなくなったりすることは、誰もが経験することでしょう。

ところが、じょうずに話したいという思いが強い人は、「緊張や動悸《どうき》さえ感じなければ、もっとうまく話ができるのに……」という気持ちが、人並み以上に働きます。

そのため「緊張を取り除こう」「動悸をしずめよう」と、さらに懸命になりますが、これがかえって緊張感を増幅させてしまうという、悪循環につながっていきます。結果、話すことは上の空。願いは打ちくだかれて、みじめな気持ちを味わうはめになってしまいます。

このようなときには、「人間な

スピーチを例にみた森田療法の基本的な考え方

あー緊張する。
どうしよう……。

人前でスピーチするときなどは、誰でも緊張するもの。無理に緊張を除こうとせず、その状態を受け入れよう

緊張しても
いいや。
話に集中
しよう！

これから話すことに集中して、全力でそれを成しとげよう

やっぱりちょっと
緊張したけど、
けっこうじょうずに
しゃべれたかな。

ら誰でも感じる緊張や動悸を、どうこうしようと闘ってもムダなこと。むしろ緊張を感じたまま、あるがままにしておいて、じょうずに話すという目的だけに集中して、一生懸命話すことこそ、成功の秘訣であり、また自分らしさの発揮にもなる」とうながすのが、森田療法なのです。

改善の秘訣は治そうと考えすぎないこと

自律神経失調症の特徴は、頭痛やめまいなどの自覚症状があるのに、検査してもこれといった身体的原因が見当たらないことでしょう。

そのため、患者さんはさらに不安になってしまい、病院で繰り返し検査を受けたり、症状を治すことで頭がいっぱいになってしまうことがあります。それまで仕事や勉強に向けられていた、建設的な気持ちが発揮されなくなってしまうケースが少なくありません。

このような場合、医師はまず、症状と闘ったり、何としても治したいという強い思いはいったん棚に上げて、今あるがままの自分を受け入れることをすすめます。そのうえで、これまで向けられていた仕事や勉強に対する建設的な気持ちをさらに伸ばしていき、充実感や満足感を得ることが大切である、と理解してもらいます。この前向きな生き方や、充実感、満足感こそが、結果的に病気の改善につながるのです。

BREAK ミニ・コラム

森田神経症とは？

生の欲望が強すぎたり、健康でありたいという気持ちが強すぎる人は、ささいな症状も深刻にとらえすぎて、思い悩み、かえって健康を害することがあります。このような神経症を森田神経症といいます。失敗を思い悩んだり、恥を恐れすぎたり、完璧主義の人に多くみられ、とくに青年期にかかりやすいとされます。

医師のカルテから 3・森田療法による治療例

主婦Cさんのケース（32歳、女性）

●症状・主訴：めまい

外出しようとしていたCさんは、突然めまいにおそわれました。外出をやめ自宅で静養していたところ、めまいは治まりましたが、それまで健康で何ら問題がなかっただけに不安になり、医師の診察を受けました。

かかりつけの医師や総合病院、大学病院でも診てもらいましたが、身体的異常は認められず、心療内科を紹介されました。

Cさんの性格的背景は、もともとは積極的であるということでした。水泳や絵画など趣味も多く、これまでは活発に過ごしてきたCさんでしたが、一度起きためまいをきっかけに、それまでの生活スタイルは急変し、家に閉じこもるようになっていました。

そこで、医師はしっかりと森田療法の考え・しくみを説明したうえで、森田療法でよく用いられる、日記による指導を始めました。抗不安薬による薬物療法も、並行しました。

日常生活や思いを記してもらう日記の中で、少しでも積極性が感じられた部分をみつけては、「その調子ですよ」と励ましながら治療を続けていきました。

やがて、めまいは、気にはなりながらも、ずいぶん改善がみられるようになり、少しずつ水泳や絵画も楽しめるようになりました。

体から心に働きかける心理療法のいろいろ

生理反応をデータ化するバイオフィードバック法、断食を応用した絶食療法、意図的に筋肉を弛緩させ、いやしを得る筋弛緩法。いずれも身体的な自己調整機能を生かす治療法です。

ストレスをデータ化する「バイオフィードバック法」

バイオフィードバック法は、ストレスによって筋肉が緊張して起こる頭痛（緊張型頭痛）や片頭痛、ストレス性高血圧症などの治療に用いられる方法です。

具体的には、心拍数や血圧、脳波、筋緊張、皮膚温などの生理反応を、医療機器を使って数値やメーターの針の振れ具合、音といったわかりやすい形で示し、患者さん本人に緊張の度合いをみせて、理解してもらいます。

患者さんはそれらのデータをみながら、どう体を動かせば数値をよくできるか、また緊張を調整できるかを、いろいろと試していきます。

繰り返し行って、最終的には機器を使わなくても、自力でストレス反応をコントロールできるようにします。

断食を応用した「絶食療法」

絶食療法は、いわゆる「断食《だんじき》」を応用したもので、医師の管理のもとで行われます。自律神経失調症をはじめ、神経症、心身症などの治療法として活用されています。

治療は、患者さんを個室に隔離し、10日間の絶食期と5日間の復食期を一つの単位として行います。絶食期には食事はとれません

バイオフィードバック法のポイント

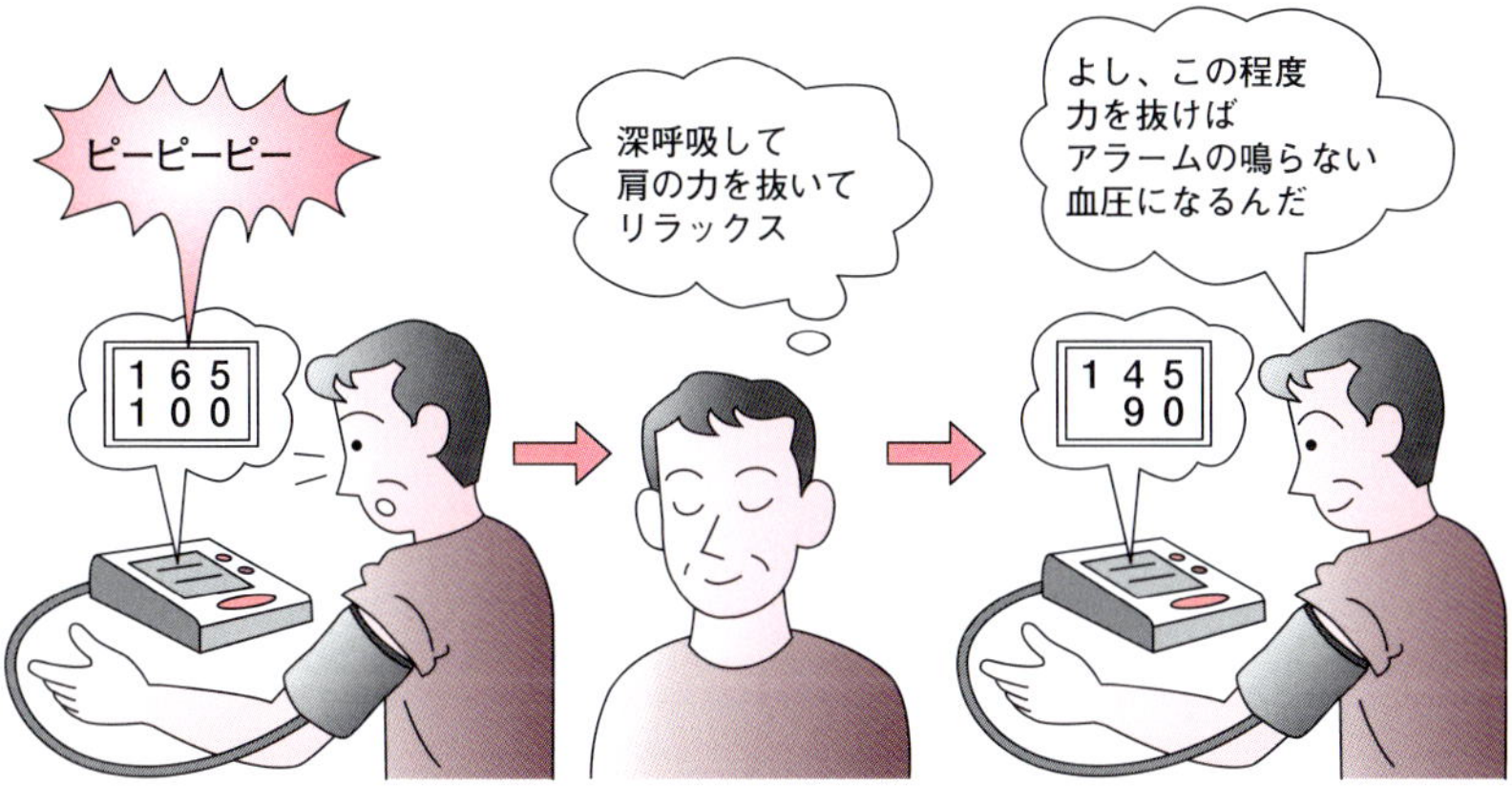
ピーピーピー
165
100
深呼吸して
肩の力を抜いて
リラックス
よし、この程度
力を抜けば
アラームの鳴らない
血圧になるんだ
145
90

心拍、血圧、皮膚温、発汗、筋緊張、脳波などのデータをみながら、どのようにすればデータがよくなっていくか工夫する

絶食療法のポイント

体験の中で
自分を
みつめ直す
イライラ‥
ズキズキ
クラクラ

絶食状態が続くと、不安やイライラ、頭痛やめまいなど、さまざまな症状を体験する。そんな中で自分をみつめ直すことが大切となる

が、代わりに糖分やアミノ酸、ビタミンを点滴によって補給します。また、1日1.5〜2ℓの水分も補給します。

絶食状態というストレスで、イライラや頭痛、めまいなどが起こりますが、医師は症状を緩和させる薬物は与えません。気晴らしも禁止されており、長い時間を、自分自身をみつめるために費やすことになります。

絶食によって、たまった体脂肪を燃焼してエネルギーとして使うようになりますが、これが、脳細胞の機能を変化させ、ストレス耐性を高めたり、病気に対する自己治癒力を活性化させる働きがあると考えられています。

復食期には、重湯《おもゆ》からおかゆを経て、徐々に普通食に戻していきます。このときに多くの人が、苦しみの先に出会えた、新しい自分に気づくようです。

筋肉をゆるめてリラックスさせる「筋弛緩法」

筋肉は、意識的に力を入れると緊張し、力をゆるめると弛緩《しかん》します。このとき、じつは、筋肉組織だけでなく神経も一緒に弛緩（完全なリラックス状態）しています。

このしくみを利用して、心身のリラックスを得るのが、筋弛緩法です。

医師など専門家の指導がなくてもできるリラクセーション法で、スポーツ選手が緊張をほぐすために用いますが、自律神経失調症の改善にも有効です。

具体的な方法は次のとおりです。

①ある一部分の筋肉に意識的に力を入れ、6〜7秒間その状態を維持する。

②力を抜き〝何もしない〟状態をつくり、しばらく休む。

③①、②を何度か繰り返し行う。

ポイントは、力を入れたときの感覚と、ゆるめてリラックスしたときの感覚を、体と心の両方で十分に味わうことです。

このとき、無理にリラックスしようと意識すると、かえってどこかに力が入ってしまいます。「何もしないことこそ弛緩状態」と考え、あせらず、じっくりマスターしましょう。

いろいろな筋弛緩法

首のリラクセーション（その1）

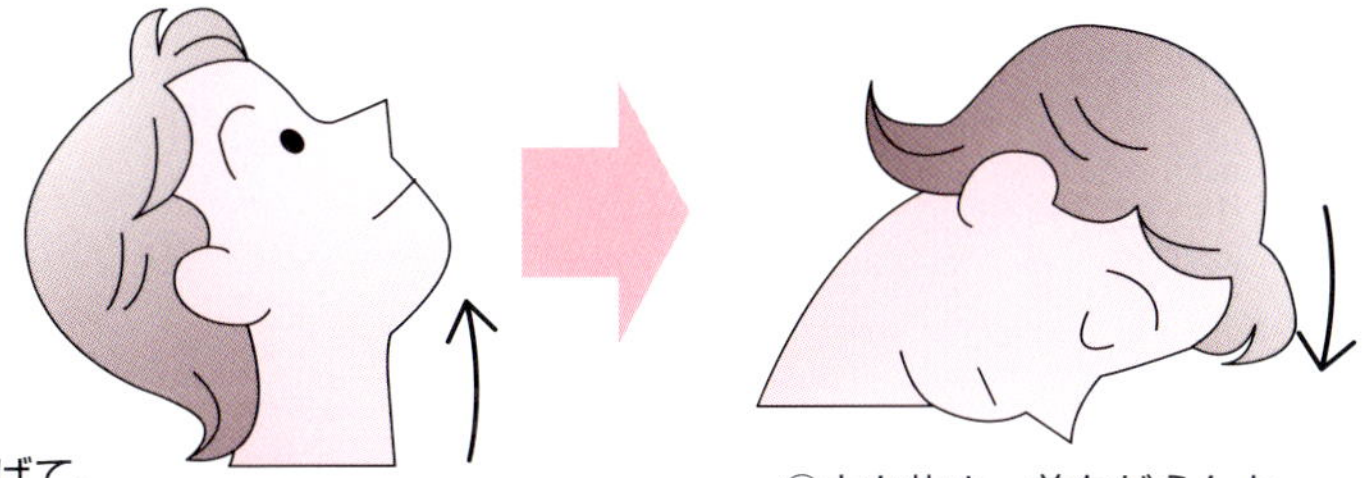

①あごを上げて、首の後ろに力を入れる

②力を抜き、首をだらんと下げて休む

首のリラクセーション（その2）

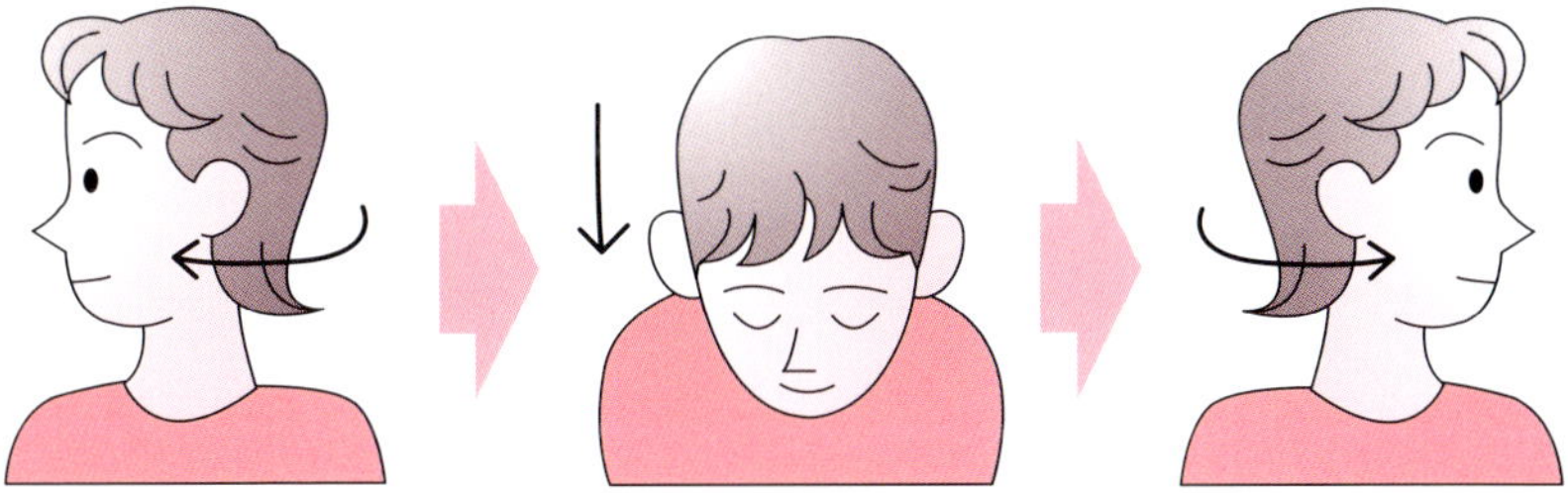

①首に力を入れ、顔を横に向ける

②ゆっくり正面を向き、首の力を抜いてだらんと下げ、休む

③①と同じように反対側も行う

肩のリラクセーション

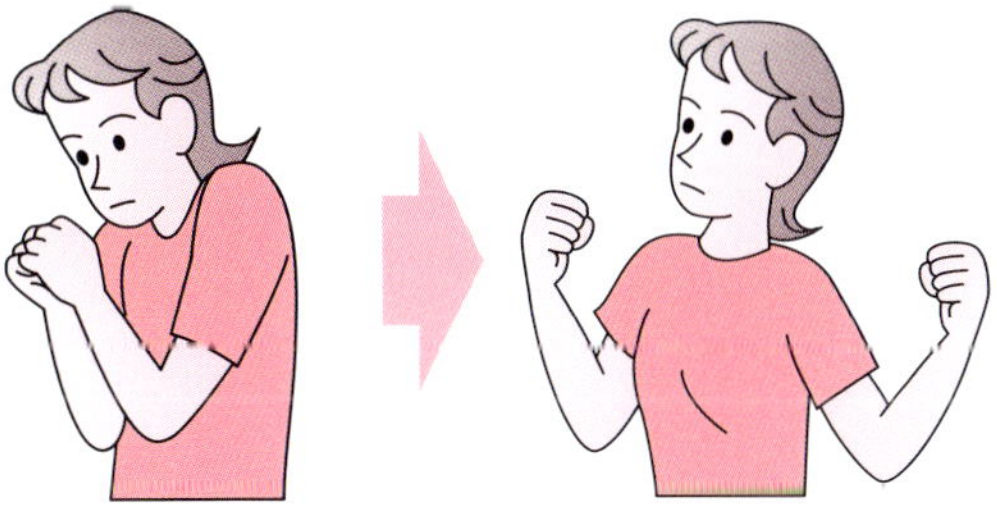

①こぶしをつくってひじを曲げ、肩をせばめてギュッと上げる。そのあと力を抜いて休む

②胸を張ると同時に背中を緊張させてから、力を抜いて休む

③背中を広げて胸をせばめ、緊張させてから、力を抜いて休む

心の奥に働きかける心理療法のいろいろ

精神分析的療法やフォーカシングは、比較的用いられることの少ない治療法ですが、いずれも心の奥底に隠された、病気の根本原因を突きとめていくための療法といえます。

無意識の心理を解き明かす「精神分析的療法」

精神医学者のフロイトらが提唱した精神分析を用いる療法です。心の問題が病気に非常に大きく関係していると考えられるケースに用いられることがあります。

治療は面接によって進められます。医師は患者さんの信頼を得たうえで、症状や家族のことなどいろいろな話から、心の問題点を探っていきます。

とくに、患者さん自身も気づいていない、無意識の領域の葛藤《かっとう》や苦悩、欲求を解明し、それらにとらわれた心を解放させることで、心身をともにいやしていきます。

体の感覚に焦点を合わせる「フォーカシング」

人間の記憶は案外いいかげんなものですが、一方で、無意識のうちに体がキャッチした感覚は、体の奥深くに眠っているものです。痛みや違和感などの身体感覚にフォーカス（焦点）を合わせ、記憶をたぐります。

頭がスッキリしないなどの自覚症状がある場合に、身体感覚をとぎすまして、同じような感じを覚えた過去の体の記憶を呼び起こします。医師は協力してそのときの状況などを分析し、原因を解明しますが、改善の方法は患者さん自身がみつけます。

精神分析的療法の進め方

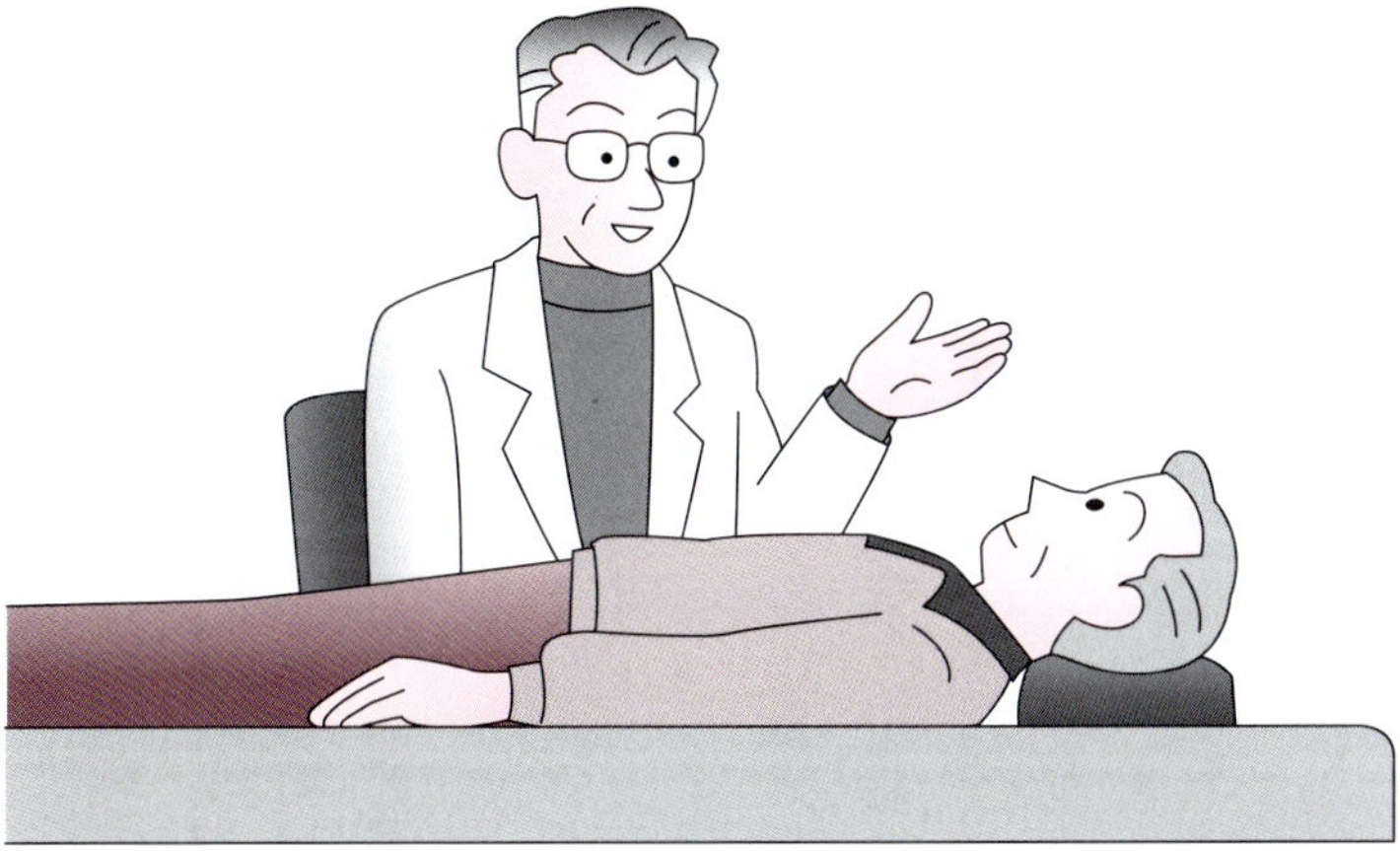

- 精神分析的療法は、患者と医師の１対１で行われる
- 患者はイスにらくに腰かけ、またはベッドに横になってリラックスする
- 医師は信頼関係を大切にする

フォーカシングの進め方

同じような感覚を受けたことはありませんか？

- 医師は問いかけをし、患者は目を閉じ集中して記憶をたどる
- 短期間に効果が出やすい

自己治癒力を高める漢方療法

心身を一つのシステムとして考え、その調和を図ることで、人間が本来もっている自己治癒力を活性化させ、病気を治していくのが、漢方療法の基本的な考えです。

同じ病気でも一人ひとり調合される薬が違う

漢方療法には、心と体は一体となるもの（心身一如《しんじんいちにょ》）、という基本的な考え方があります。体に異常があれば心も病気になり、その逆もまたしかり、というわけです。

〝心〟にストレスを受けることで、〝体〟の自律神経のバランスが乱れて起こることの多い自律神経失調症の治療に、漢方療法は適しているといえます。

漢方では、病気には体質や環境、習慣などの要素がからんでいて、気（生命エネルギー、気力）、血（血の巡り、血の道、ホルモンの働き）、水（血液以外の体液、水分、代謝）のいずれかが変調を起こすことで心身のバランスをくずし、発症すると考えられています。

気は精神的・神経的変調、血は血液や血液循環系、心臓、肝臓などの変調、水は体液や代謝の変調を意味しています。

治療に際しては、虚証傾向（弱い体質）、実証傾向（強い体質）という体力や抵抗力の面、さらに新陳代謝が盛ん（陽）か衰えている（陰）かなどを診たうえで、気・血・水のどこに異常が現れているかを考慮して行っていきます。

西洋医学では、検査などで明らかになった病名（病気の種類）によって、治療法や処方される薬が

漢方療法の虚証と実証の考え方

虚証傾向（虚弱体質）

体型はやせ型または水太りが多い

①夏バテしやすい
②冬の寒さに弱い
③寝汗をかきやすい

声が弱々しい

①食べすぎると不快
②食べるのが遅い
③空腹時には脱力感を感じる
④冷たいもので下痢しやすい

- 細菌やウイルス、ストレスなどのゆがみを受けたときに、修復反応が弱く遅い
- 風邪をひいたときに症状が弱く、長引く

実証傾向（強壮体質）

体型は筋肉質・固太りが多い

①夏は暑がるが、バテない
②冬はあまり寒がらない
③通常は寝汗はかかない

声が力強い

①多少の過食は大丈夫
②食べるのが早い
③一食くらい抜いても大丈夫

- 細菌やウイルス、ストレスなどのゆがみを受けたときに、修復反応が強く早い
- 風邪をひいたときに症状が強いが、すぐ治る

－　0　＋

虚　証 ←── 中間証 ──→ 実　証

虚証と実証のどちらにもかたよりすぎず、その中間（中間証）が理想とされている

漢方療法では、患者一人ひとりの症状や体質、体調などを総合的に診たうえで薬が処方される。生薬のほか、生薬の抽出液からつくられた簡便なエキス製剤もある

決められます。

しかし、漢方では病名ではなく、体質や抵抗力などの要素が複雑に組み合わさった病態に対し、一人ひとり個別に生薬を調合して治療していくのです。

ですから、たとえば西洋医学での病名が同じ患者さんが2人いた場合でも、漢方療法でそれぞれの人に調合される薬が違ってくることも、少なくないのです。

自己治癒力を高めて病気を治す！

漢方薬は、さまざまな要因によってくずれた心身の気・血・水のバランスを調整し、自己治癒力や免疫力を高めることで治療していくというものです。このあたりも、患部に局所的に作用して症状を改善していく西洋薬とは、大きく異なります。

漢方療法は自己治癒力を活性化することによって病気を治すものですから、数日で完治するようなものではありません。効果が現れるのは、だいたい1カ月目、3カ月目、6カ月目くらいが目安となります。

漢方薬の使用には、専門的な知識が必要です。副作用がないと思われがちですが、体質に合わない薬を服用すると副作用は出ます。必ず医師または薬剤師に相談して服用しましょう。

また、その際に以前飲んでいた漢方薬についての情報を伝えることも大切です。

自律神経失調症に効果のある漢方薬

漢方薬	証	症　状
補中益気湯《ほちゅうえききとう》	虚証傾向	全身倦怠《けんたい》感、動悸《どうき》、不安
柴朴湯《さいぼくとう》	中間証	精神不安、抑うつ傾向、食欲不振、全身倦怠感
黄連解毒湯《おうれんげどくとう》	中間～実証傾向	のぼせ気味で精神不安、不眠、イライラなどの精神神経症状
加味逍遙散《かみしょうようさん》	虚～中間証	疲れやすい、精神不安、不眠、イライラ、肩こり、頭痛、めまい
柴胡桂枝乾姜湯《さいこけいしかんきょうとう》	虚証傾向	疲れやすい、動悸、息切れ、不眠、口渇、肩こり、不安、焦燥感
柴胡加竜骨牡蠣湯《さいこかりゅうこつぼれいとう》	実～虚証傾向	不安、イライラ、怒りっぽい、不眠、動悸、胸部痛など
桂枝加芍薬湯《けいしかしゃくやくとう》	実～虚証傾向	下痢、腹痛などの過敏性腸症候群
半夏厚朴湯《はんげこうぼくとう》	虚証傾向	不安、咽頭や上胸部への異物感、呼吸困難など
抑肝散《よくかんさん》	虚証傾向	怒りっぽい、動悸、不安、焦燥感など
桃核承気湯《とうかくじょうきとう》	実証傾向	のぼせ、頭痛、めまい、不眠、動悸、不安

リラクセーション効果を高める音楽療法

音楽によって心がなぐさめられたり、高揚した気分になった経験は誰にでもあるものです。音楽には、いつでもどこにいても、感情に直接作用する力があります。

音楽のいやし効果でストレスを解消！

心地よい音楽を聴くと、脳内に、リラックスしたときに出るα《アルファ》波が増加することが知られています。この、音楽がもつリラクセーション効果によって心と体をいやし、症状の軽減を図るのが音楽療法です。

音楽療法にはさまざまな種類がありますが、大きく次の2つに分けることができます。

❶**受容的音楽療法**……音楽作品などを聴くことによる方法

❷**能動的音楽療法**……演奏することによる方法

このうち心療内科で用いられるのは受容的音楽療法で、患者さんと医師とのコミュニケーションをとりやすくしたり、不眠症の治療などで高い効果がみられます。

最近では、自律訓練法やバイオフィードバック法などと組み合わ

自宅で自律訓練法やストレッチを行うときにＢＧＭを流すのも効果的

せて用いることが多くなりました。また、医師が一方的に選曲するのではなく、患者さんの好みの曲を使って治療されるようになっています。

自宅で気持ちを落ちつけたいときにも、音楽療法は有効です。自律訓練法やストレッチなどを行う際にＢＧＭとして流したり、気持ちが沈んだときに好きな音楽を聴くことも、立派な音楽療法といえます。

大半の人が「心がやすらぐ、いやされる」と感じた曲

曲名・作曲・演奏・指揮・演奏時間・録音年
ピアノ協奏曲第26番ニ長調K.537 「戴冠式」第2楽章（モーツァルト） 内田光子(ピアノ) イギリス室内管弦楽団 ジェフリー・デイト（指揮） 7'17"　1987年録音
ジークフリート牧歌（ワーグナー） ニューヨーク・フィルハーモニック ジュゼッペ・シノーポリ(指揮) 19'22"　1985年録音
ウォーターマーク（エンヤ） エンヤ 2'24"　1988年録音
「アルルの女」第2組曲より第3曲 “メヌエット”（ビゼー） モントリオール交響楽団 シャルル・デュトワ(指揮) 4'24"　1986年録音
「水の音楽」より “水色の幻想”（神山純一） ラ・フェ・デュラ・グート 4'14"　1989年録音

＊藤田保健衛生大学が音楽選択学生を対象に行った、楽曲に対する感情アンケート調査より（各曲150人前後、100項目を調査）。全68曲のうち、50％以上の人が「心がやすらぐ」または「心がいやされる」と回答した曲が11曲あった。上記はその中から５曲を抜粋したもの

資料：藤田保健衛生大学／日本バイオミュージック学会誌（1998年）

BREAK ミニ・コラム

悲しいときは悲しい曲がいい!?

心をいやす音楽というと“明るめの曲”というイメージがありますが、必ずしもそうではありません。悲しいときには無理に明るい曲を聴かず、悲しい曲を聴けばよいのです。そのときの気分、感情、テンポと同質の音楽を聴くほうが、よりいやし効果があるとされており、これを「同質性の原理」といいます。

また、好きな音楽にこそいやし効果が高いという考えもありますから、無理に苦手な音楽を聴くこともありません。

理学療法の効果とは？

●つらい症状を取り、心身をリラックスさせる

自律神経失調症の治療には、指圧やマッサージ、鍼、灸、温熱療法などの理学療法も取り入れられています。

指圧や鍼、灸などは、東洋医学の理論に基づいて成り立っている療法です。「人体を構成する基本的物質である気（生命エネルギー）は、経穴《けいけつ》がつながってできた経路内を循環している」という考えのもとに、ツボを刺激することで心と体をいやし、エネルギーの活性化を図ります。

たとえば指圧の場合、「指でツボを押さえる」という一見、単純そうに思える刺激によって痛いという感覚をやわらげます。このときに、快楽感や幸福感といった感情をもたらす「ベータ・エンドルフィン」というホルモン物質が脳内に分泌されるのです。また、マッサージ療法も、温かい手をつらい患部にあてて“手当て”することで、指圧などと同じようにベータ・エンドルフィンの分泌がうながされます。

どちらも、体に現れた痛みや違和感を対処的に取り除く作用に優れているうえ、リラックス効果も高い療法といえます。マッサージ療法では、親しい人の“手当て”を受けたときには、スキンシップ効果による心のいやしも期待できるでしょう。

これらの理学療法のほかにも、ヨガや気功法、ストレッチ（田中式ストレッチング）、体操（真向法）、呼吸法（加瀬式呼吸法）など、心身をリラックスさせ体質を強くすることで、体や自律神経のバランスをととのえていく療法があります。最近はいろいろなところで講座やサークル活動が行われていますし、関連書物も多数出版されていますから、一度試してみるのもよいでしょう。

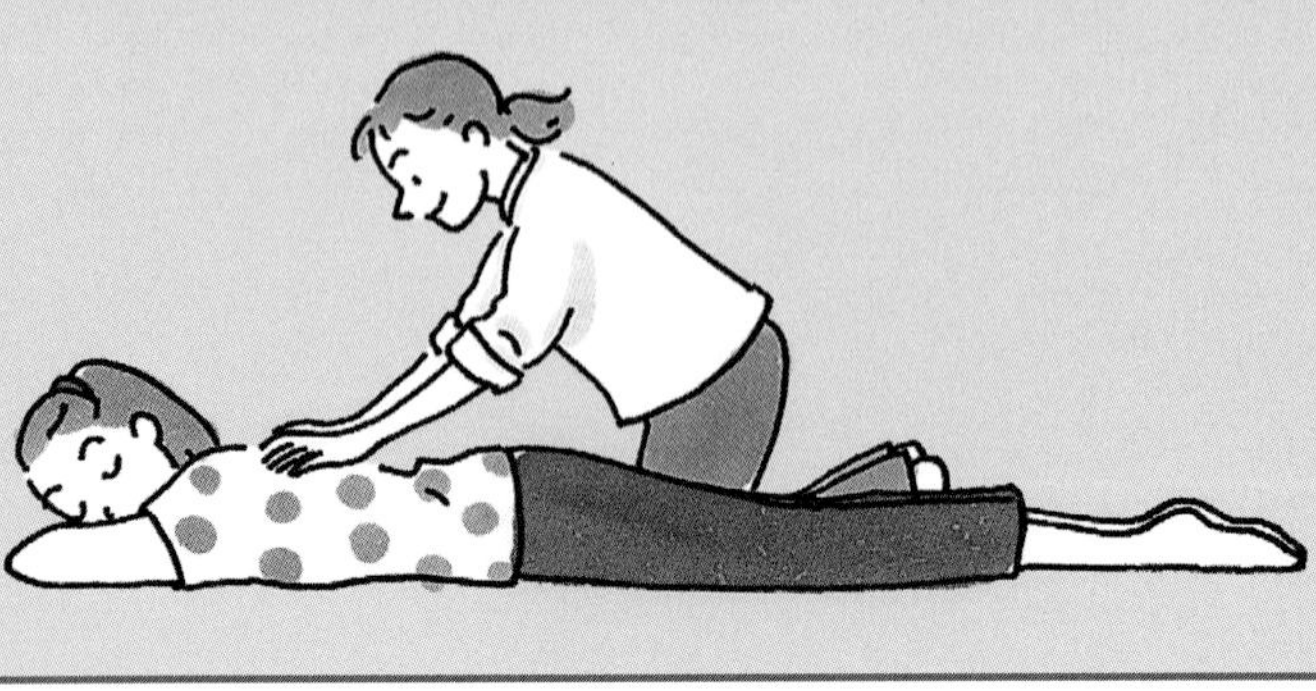

第8章

ストレスにはこうして強くなる!

自律神経が働きやすい体になる！

自律神経失調症は現代人のライフスタイルに強く影響されています。そんな不規則な毎日のあり方をちょっと見直して、できる範囲で実践してみましょう。

乱れた生活を嫌う自律神経

私たちの生活は、大きく分けて「食事」「睡眠」「労働・学習」「休養」「運動・遊び」の5つの要素から成り立っています。こうした毎日の生活習慣に乱れがあると、それがそのまま自律神経の乱れにつながり、さまざまな症状に悩まされることになります。

たとえば、常に時間に追われるせっかちな食事のとり方、無理なダイエット、徹夜などは、生体のリズムを乱してしまいます。

人間の体は体内時計（一定の生体リズム）に従って動いているため、食事時間や睡眠時間を削り、昼夜が逆転するような乱れた生活を続けていると、自律神経のバランスがくずれてしまうのです。

ちょっとした心がけでリズムは取り戻せる！

生活リズムの乱れが自律神経の乱れにつながる。まずは規則正しい生活を心がけよう

このように乱れた生体リズムを修正するのは、現代人のライフスタイルからすると容易ではないかもしれません。

それでも、次のようなちょっとしたことを心がけるだけで、体の調子をととのえることは可能です。

①十分な睡眠時間をとる

②食事時間を一定にする

③適度に休養して気分転換する

ここで「何が何でも1日7時間は睡眠を」とか「金曜日は必ず5時に仕事を打ち切る」など、しゃくし定規に考える必要はありません。こだわりすぎると、かえってストレスがたまってしまいます。

仕事でも、食事、睡眠でも、何ごとも「適度」が心身にストレスを与えないキーワードです。

生活リズムを取り戻すライフスタイル

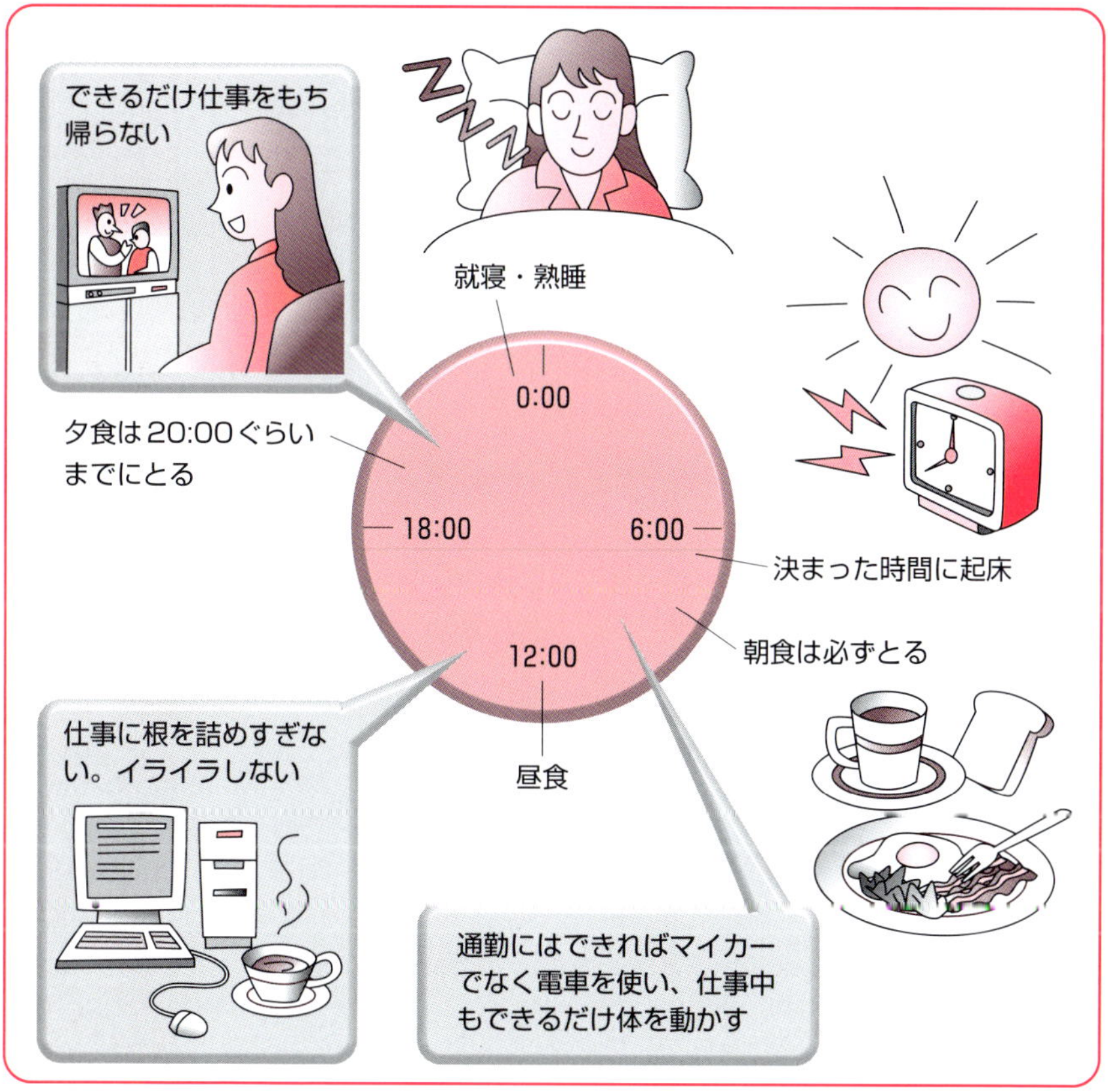
できるだけ仕事をもち帰らない
就寝・熟睡
0:00
夕食は20:00ぐらいまでにとる
18:00
6:00
決まった時間に起床
朝食は必ずとる
12:00
昼食
仕事に根を詰めすぎない。イライラしない
通勤にはできればマイカーでなく電車を使い、仕事中もできるだけ体を動かす

早寝・早起きで生活リズムをととのえる

夜型の不規則な生活リズムは、自律神経失調症の最大の敵。これを是正するために、早寝・早起きを実践しましょう。始めはつらいかもしれませんが、体は徐々に慣れてきます。

ストレスのもとは〝人間関係〟だけじゃない!

日常生活を見直すうえで、睡眠は重要なポイントとなります。

もともと人間の生体リズムは、昼は活動、夜は休息するようプログラミングされています。日の出とともに起きて活動し、日暮れになったら休息するというスタイルが、人間本来の生活リズムです。

しかし、実際には夜遅くまで仕事をせざるを得ないという人が多く、現代人の就寝時刻は確実に遅くなっています。こうした24時間の生体リズムの狂いは、体への大きなストレスとなります。

自律神経失調症を治すには、十分な睡眠がとても重要です。まず、就寝と起床の時刻を一定にしましょう。さらに、人間本来のリズムに近づけるためには、早寝・早起きを実践することがいちばんです。

早寝・早起きの実践テクニック

では、早寝・早起きをするにはどうすればよいのでしょう。

まず、あらかじめ起床時刻を決める、という方法があります。「朝は苦手」という人は多いようですが、実行可能な起床時刻を決めて、体を徐々に慣らしましょう。

一定時刻に床に入るという方法もあります。夜型生活が長い人が

早寝・早起きを実践するためのポイント

毎日、決まった時刻（遅くとも12時くらいまで）に床に入る

あらかじめ起床時刻を決めておく

就寝前１～２時間は読書などでリラックスする

就寝2～3時間前にぬるめの湯にゆっくりつかったり、少量のアルコールを飲む

自然に眠くなるのを待っていたら、いつまでたっても夜型から抜け出せません。寝つきが悪い場合は、入浴の時刻を少し早めたり、お酒を少し飲むなどの工夫をしてみましょう。就寝直前に熱めのお風呂に入ると体温が上昇し、本来の生体リズムに逆らうことがありますし、就寝直前のアルコールは増量と依存につながることもあるので、注意してください。それでも入眠に困る場合、これらを繰り返していても悪循環に陥ることがあるので医師に相談しましょう。

このほか、ふだんより15分早く寝て、翌朝は15分早く起きるという方法を試してみるのもよいでしょう。そして、毎日少しずつ就寝・起床時刻をずらしていきます。

オン・オフをじょうずに切り替えるコツ

休日は仕事を忘れリラックスしましょう。大切なことは体を休めるだけでなく、心もリフレッシュすること。そのために「オン」「オフ」の切り替えをはっきりとさせたいものです。

休日には心のリフレッシュを

1週間を1単位として、活動と休養のバランスを考え、休日には十分な休養をとりましょう。

体の疲労は、だるさや眠気などの自覚症状として現れますから、体をゆっくり休めることで疲労は解消されます。しかし心の疲労はそうはいきません。休日は、とくに心のリフレッシュを中心に考えます。

心の休息をとるには、仕事をする「オン」と休養をとる「オフ」を、はっきり切り替えることが必要です。

仕事中は交感神経が働き、休養時には副交感神経が働きます。休養時にも仕事をもち込めば、交感神経の興奮状態が続き、精神的にもオン・オフの区別がつかず、自律神経のバランスがくずれてしまいます。

日常から離れる休日リフレッシュ法

心のリフレッシュを図るちょっとしたコツを紹介しましょう。

●朝寝坊をしない

だらだら朝寝坊するのは、生活のリズムを乱すもと。早寝・早起きがリフレッシュにつながります。

●携帯電話の電源はオフに

会社や仕事とつながっている携帯電話を気にしていては、心が休

休日に心と体をリフレッシュさせるコツ

朝寝坊をしない

だらだら寝ていると睡眠リズムが乱れる原因に

携帯電話をオフに

休日は仕事のことをすっきり忘れよう

外出を楽しむ

映画をみたり美術館に出かけるなど気分転換を

スポーツや趣味を楽しむ

たっぷり時間のとれる休日に、好きなスポーツや趣味を存分に楽しもう

お酒はほどほどに

休日はつい飲みすぎてしまいがち。昼間の飲酒は控えよう

家族と一緒に楽しく過ごす

家族との交流は心の安定に大切。アウトドアのほか手軽な散歩なども

りません。

●外出を楽しむ

たまには、映画館や美術館、公園などに出かけてみましょう。気分転換になり、ストレスを発散することができます。

●スポーツや趣味を楽しむ

ゴルフ、ハイキング、ジョギングなど、何でもかまいません。またスポーツ観戦で一喜一憂するのもよいでしょう。スポーツが苦手なら陶芸や油絵など、何かを表現することを楽しんでみましょう。

●お酒を昼から飲まない

適度なアルコールはストレス解消に役立ちますが、休日はその量が増えがちです。「過ぎたるは及ばざるがごとし」。昼間に飲んだら夜は控えるようにしましょう。

ストレス解消のポイント

ストレスは誰にでもあるもの。クヨクヨする必要はありません。立ち止まって今までの考え方を見直したり、簡単にできる気分転換などでリフレッシュしましょう。

ものごとを肯定的にとらえる

ストレスを受けると、それを抱え込んで心の疲労へとつなげてしまう人がいます。

この心の疲労蓄積型の思考パターンをもつ人は、ものごとを否定的・悲観的に考えるネガティブシンキング（否定的思考）の傾向にあります。ストレスを解消するには、ポジティブシンキング（肯定的思考）に移行していくことがポイントです。

ポジティブシンキングとは、たとえば上司にしかられた場合、「私はダメだ」とネガティブ（否定的）に考えるのではなく、「この指摘をバネにがんばろう」とポジティブ（肯定的）に考えることを指します。

自律神経失調症の場合、心理療法でストレス耐性を高める治療も行われますが、ポジティブな思考に変わるには、ある程度時間がかかります。そこで、問題に直面したときはすぐに答えを出さず、立ち止まって必ず別の考え方を探すよう訓練していくことが大切です。

趣味や入浴法で心身をリフレッシュ

ストレスに対しては、「ストレスを発散する」「ストレスを避ける」という姿勢でいましょう。

趣味をもっている人は、それに

ストレスをじょうずに解消する

ポジティブシンキングを心がける

POINT

- 「きっとやれるさ…」と自己暗示をかける
- 問題に直面したときは立ち止まり、ゆっくりと考えをまとめる
- つらいことも必ず時間が解決してくれることを忘れない
- ミスをしても、それを引きずらない
- 上司からしかられても落ち込まず、次のチャンスに生かす

趣味を楽しみ、気分転換を

POINT

これから何か始めようと思っている人には、次のようなものがおすすめ。ただし、無理に趣味をみつける必要はない

- 美術など一人の空間や時間を楽しめるもの
- スポーツなど充実感や達成感があるもの
- 音楽や映画鑑賞など、もともと嗜好に合って長続きしそうなもの

効果的な入浴でリラックス

POINT

- 疲れをいやすには38～40℃のぬるめの湯にゆっくりつかる
- 気分をスッキリさせたいときは40～42℃の熱めの湯にサッとつかる
- 1回の入浴で2～3回は浴槽につかる
- 入浴は食後1時間以上してから、また就寝1時間前には上がること
- 空腹時や酒に酔っているときは入らない

打ち込んでみるのもよいでしょう。ただし、これといった趣味のない人は、「何かみつけなくては」と無理することはありません。

毎日できる身近なストレス解消法としては、入浴がいちばんです。体が温まれば血液循環が活発になり新陳代謝が促進され、肩こりなどの原因となる疲労物質が取り除かれます。

就寝前の入浴は、38～40℃くらいの湯に、ゆっくりとつかるのがポイントです。ぬるめの湯は、副交感神経の働きを活発にし、リラックス効果があります。

また、朝の目覚めが悪いときは40～42℃の熱めの湯にサッとつかり、交感神経の働きを活発にしてやります。

人間関係のトラブル対処法

コミュニケーションがスムーズでなければ、人間関係はうまくいきません。会話のトラブルはストレスの原因ともなります。トラブルを避けるための方法を身につけましょう。

交流分析を利用したコミュニケーション法

人間関係でもっとも大切なのはコミュニケーションです。自律神経失調症になりやすい人は、コミュニケーションが苦手な人が多いようで、職場や友人、さらには家族間で、ささいなことでトラブルを起こしてしまいがちです。

人間関係のトラブルをなくすため、交流分析（１３６ページ参照）を参考に、コミュニケーション法を考えてみましょう。

交流分析は、自分を知るとともに他者との交流のしかたを分析し、円満な人間関係を保てるようにすることがおもな目的です。ちょっとおさらいしてみましょう。

①人間の心には「親（P）」「大人（A）」「子ども（C）」の３つの自我がある。

②過去や他人の行動・考えは変えられないが、現在の自分は変え

ちょっとした言葉や態度から人間関係が悪化することも。トラブルを避けるコミュニケーション法を身につけよう

られる。

③自分の感情・思考・行動の総責任者は自分自身である。

トラブルを避ける相補的交流を目指そう

先に触れたように、交流分析では、人間の心には3つの自我があると考えています。この中のどの自我を使って他人と接しているかを、交流パターン分析に当てはめてみると、次の3つに大別することができます。

❶人間関係がうまくいく「相補的交流」

2人の会話のベクトルが平行するパターンです。たとえば、自分も相手も大人(A)の自我で接する

交流分析で考えられる3つの自我とは

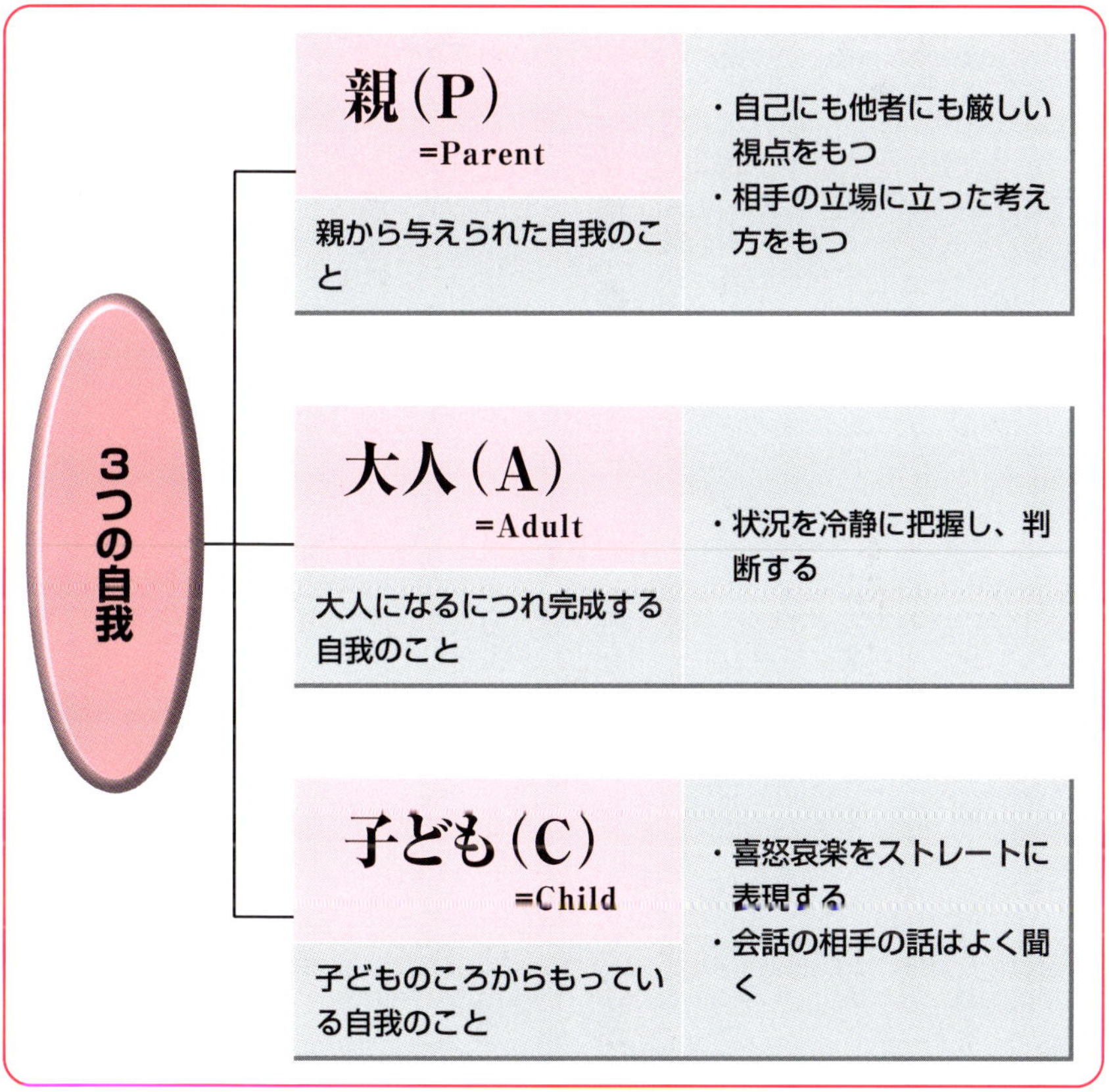
3つの自我
親(P)
=Parent
親から与えられた自我のこと
・自己にも他者にも厳しい視点をもつ
・相手の立場に立った考え方をもつ
大人(A)
=Adult
大人になるにつれ完成する自我のこと
・状況を冷静に把握し、判断する
子ども(C)
=Child
子どものころからもっている自我のこと
・喜怒哀楽をストレートに表現する
・会話の相手の話はよく聞く

場合は、期待どおりの答えが返ってくるため、どちらかが不愉快な感情になることはありませんし、会話もスムーズに進みます。

「今日はとてもいい天気ですね」という語りかけに対し、「本当にそうですね」と答えれば、イヤな感情は残りません。

会話を楽しくするには、相手との自我を共通にする、この相補的交流を心がければよいのです。すべてがこれだけですむわけではありませんが、人と接することの多い職業の人などは、覚えておいて損はありません。

❷トラブルが起きがちな「交差的交流」

会話のベクトルが交差してしまうパターンです。よい反応を期待したメッセージに対し、予想外の反応が返ってくることで、イヤな気分になってしまいます。

「今日はいい天気ですね」に対し、「そうでもないですよ」とむげにいわれたら、不愉快になり、感情的な対立が起きます。会話はこれ以上進まなくなってしまいます。

❸複雑な感情を残す「裏面的交流」

表面的には相補的交流にみえても、言葉の裏側に本音を隠している複雑なベクトルパターンです。

「今日はいい天気ですね」という言葉に対し「ええ、そうですね」と答えますが、心の中では「天気なんてどうでもいいじゃないか」と思っているようなことです。

これは親(P)から子ども(C)に本心をいいたくても直接口にはせず、大人(A)で遠回しに相手に伝えようとしています。本音と建前があり、良好な関係はつくれません。

こうしてみると、相補的交流を行えるようになることが理想的です。もし相手が交差的交流や裏面的交流をしていても、自分は相補的交流をするよう心がけていけば、それまでよりスムーズな会話となっていくはずです。

また裏面的交流は、日常的にみられるものです。会話に隠された相手の真のメッセージを考慮すれば、よりよい人間関係を築けるでしょう。

3つの交流パターン

1 相補的交流
今日は
いい天気ですね
本当に
そうですね
P A C
P A C
期待どおりの言葉が返ってくるため、会話がスムーズに進む

2 交差的交流
今日は
いい天気ですね
そうでも
ないですよ
P A C
P A C
期待はずれの答えが返ってくるため、それ以上会話が続かない

3 裏面的交流
今日は
いい天気ですね
ええ…
そうですね
天気なんてどうでもいいじゃないか
P A C
P A C
本音と建前を使い分けており、良好な関係を築きにくい

一方的に話さない

自分の考えだけを話すのではなく、相手の話もよく聞こう

相手の長所をみつける

他人を批判的にみたり非難したりせず、相手の長所をみつける努力をしよう

自分なりの価値観をもつ

他人の目を意識しすぎない。自分なりの価値観をもって、人の意見に振り回されないようにしよう

できるだけ積極的に人づきあいする

コミュニケーション不足が誤解を生んでいることも多い。「話してみたら、けっこう気の合う人だった」などということも

人間関係をよくする そのほかのポイント

このほかにも、人間関係でトラブルを起こさないよう、心がけたいことがいくつかあります。

●イエス・ノーをはっきりいう

自律神経失調症の人は、他人を意識し配慮しすぎる傾向があります。頼まれごとを断れず、あとで悔やむなど、相手への過剰な適応は、当然ストレスになってきます。ときには、イヤなことははっきりと断ることも肝心です。

●自分を好きになる

「どうせ自分は○○なんだ」と卑屈になっていたら、対等な人間関係は結べません。自分の長所を認識し、前向きに考えましょう。

よりよい人間関係を築くためのポイント

イエス・ノーをはっきりいう

あいまいな態度がトラブルの原因になることも。イヤなことはイヤとはっきり断ることも、ときには必要

自分を好きになる

対等な人間関係を築くため、自分の長所を認識して自信をもとう

すぐにカッとしない

短気は損気。カチンときてもひと呼吸おいて、冷静さを取り戻そう

悩みを抱え込まない

一人で悩みを抱え込まず、誰かに相談してみよう

●一方的に話さない

人間関係は、どちらか一方だけが努力してもスムーズにはいきません。いいたいことはいい、相手の話もきちんと聞くことが大切です。一方的な意見は、互いに不快感が残るだけです。

●相手の長所をみつける

「あの人は嫌いだ」と決めつけず、冷静に相手の長所をみつけてみましょう。相手を立てるようにできれば、気まずい雰囲気にはなりにくいものです。

●すぐにカッとしない

ときには他人に挑発的な言葉を投げかけられることもあるでしょうが、冷静に考えて我慢することも必要です。結果的に、自分にとってもプラスになります。

自分をゆったりみつめ、心に余裕をもつ

いくら一人でがんばっても、世の中には無理なことがたくさんあります。あせりを捨て、完璧主義を返上して、もっとゆったりとした気分になれば、心にも余裕が出てきます。

自分をながめる

自律神経失調症の人にとって、あせりは禁物です。休日なのに仕事を気にしたり、うまくいかない人間関係のことが頭から離れなくなり「早く○○しなければ」と考えれば考えるほど、ストレスはたまっていきます。

また、いつも症状を意識していると、そのこと自体がストレスとなって、しだいに症状が重くなってしまうこともあります。

そうした状態に陥らないよう、ときには立ち止まって、現在の自分の状態を冷静にみつめ、ありのままを受けとめてみましょう。そして、自分にとって何が大切か、自分の〝こだわり〟は何か、〝わりきり〟は何か、を自問自答してみましょう。〝自分の理想〟と〝自分の現実〟とのギャップや、無理をしている点がみえてきます。そこでその部分の軌道修正を考えます。

このように、自己分析をたっぷり行って修正を加えたことは、心のゆとりになります。

そんな思考も、ゆとりのある時間があってこそできるもの。心の余裕は、体の余裕といつも一緒です。

完璧さを求めず マイペースで

仕事一筋の人ほど、一度つまずくと一気に症状が悪化する傾向が

心にゆとりをもつためには

あせりは禁物。ゆっくり一つずつ解決を

症状を気にしすぎないようにしよう

理想と現実を認識して、完璧主義はやめよう。ときにはあきらめる勇気をもとう

人のペースに引きずられず、マイペースでいこう

あります。

周囲には目もくれずがんばり続けていると、知らず知らずのうちに心身が消耗していきます。理想をもつことはよいことですが、完璧を求めると、理想と現実のギャップに悩み、ストレスがたまっていきます。

こうした完璧主義タイプの人は過剰なストレスを抱え込みやすいので、要注意です。

もっと気らくに考え、肩の力を抜いてみることも大切です。「自分一人ががんばっても無理なことはある」「どんなことでもダメなことはある」という気持ちをほんの少しでももってみてください。長い人生、ときには開き直りも必要です。

エクササイズで運動不足を解消！

自律神経失調症の人は、運動不足である場合が少なくありません。スポーツやストレッチで体を動かしましょう。日常生活の中で簡単にできることもたくさんあります。

適度なスポーツはメリットがたくさん！

「スポーツをする気になれない」。自律神経失調症の患者さんからよく聞かれる言葉です。それだけ心に余裕がなくなっているわけですが、生命維持に不可欠な「食事」「睡眠」と同じく、「運動」も、とても大切な要素です。

ふだん歩いたり、手を使って仕事をするなどはもちろん、姿勢を維持するためにも、筋肉は常に使われていますが、本来もっている全身の筋肉を働かせているわけではありません。

日常の動作以上の運動をすることとは、ふだん使っていない筋肉を使い、循環器系や呼吸器系などの内臓の働きも活発にします。

人体には、いざというときに、いつも以上に働かせることができる「予備能」が備わっています。運動をすることは、筋肉や骨が鍛えられるとともに、この予備能を高めることもでき、バランスのくずれた自律神経の機能も徐々に回復できるというわけです。

また、汗をかくことによって爽快感や充実感が得られますし、快い疲れは快食・快便・快眠にもつながります。

汗が少し出る運動やストレッチがおすすめ

スポーツがよいとはいえ、過度

に体を動かす運動は控えましょう。効果を上げるには、適度な汗をかく程度の運動が適しています。自律神経の失調の具合によっては、ふつうの人なら軽い汗ですむ程度の運動でも、激しく汗をかいて脱水状態に陥ってしまう危険があります。あくまでも疲れを残さない程度が肝心です。

運動は無理をせず、快い疲労感が残る程度で

ジョギング、ウオーキング、ダンス、サイクリング、水泳など、自分自身が楽しめて、ストレスを解消できるものなら種類は問いません。できれば日常的に気軽に行え、かつ勝敗を気にしなくてもいいようなスポーツが理想的です。

また、仕事や家事の合間にできるストレッチもおすすめです。ストレッチとは「伸ばす」という意味で、筋肉や腱《けん》をゆっくりと伸ばし、そのままの姿勢をしばらく保つ運動です。筋肉などを伸ばすことで体全体の動きや血流がよくなり、疲労回復や腰痛、肩こりなどの予防・治療に効果があります。次ページで簡単なストレッチをいくつか紹介していますので、ぜひ実践してみてください。

BREAK　ミニ・コラム

毎日の暮らしの中でもっと歩こう！

「運動をしよう」と気張らなくても、日常生活の中で行えることはたくさんあります。

たとえば、正しい姿勢でリッリと歩く、電車内では空席があっても座らない、エレベーターやエスカレーターは利用せず階段を使う、一駅前で下車して歩く、など。とにかく「歩くこと」を意識してみましょう。

運動があまり得意でないという人も、これなら簡単に実行できます。また、歩くことは不安をしずめ、その後にリラックス効果が持続できるというメリットもあります。

肩こりには

①

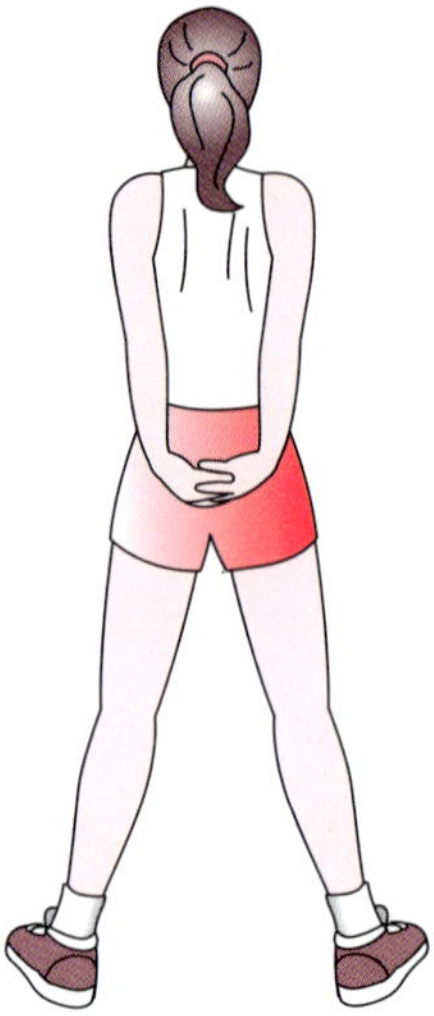

両ひざを軽くゆるめて立ち、両手を後ろで組む。肩甲骨を寄せる感じで胸を張る

②

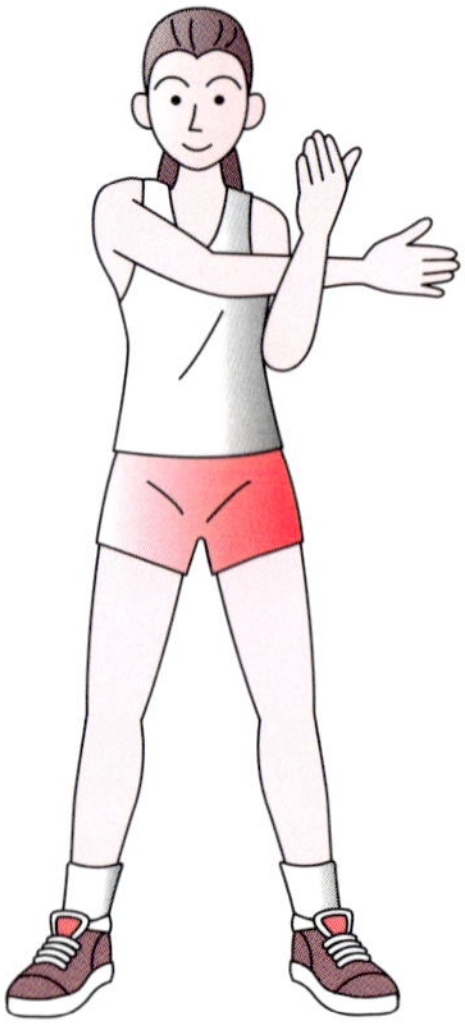

一方の腕を胸のあたりで抱え込むようにし、体に引き寄せる。左右ともに行う

頭痛には

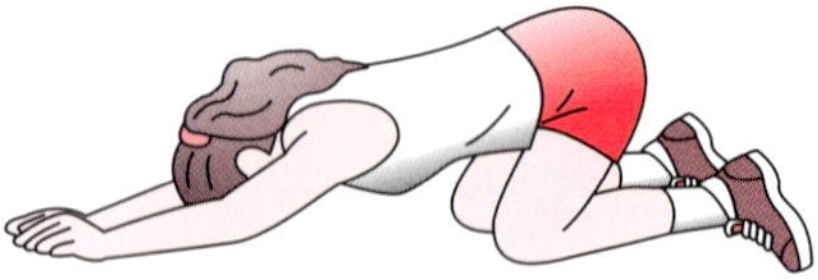

四つんばいの状態から両手を前に伸ばし、胸を床につけるようにする

腰痛には

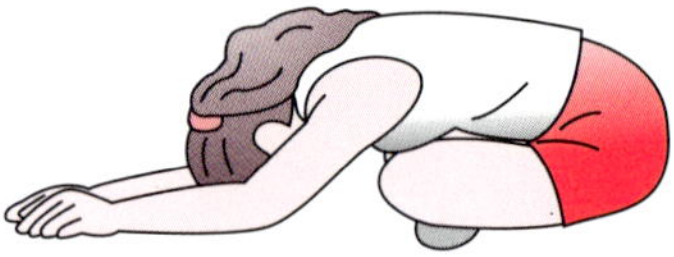

あぐらを組んで頭を床につける。首の後ろを伸ばし、腕の力は抜く

足の疲れを取るには

両脚を伸ばして座り、ゆっくり前傾して両手で足(首)をつかむ

症状に合わせて行うストレッチ

ストレス解消には

①

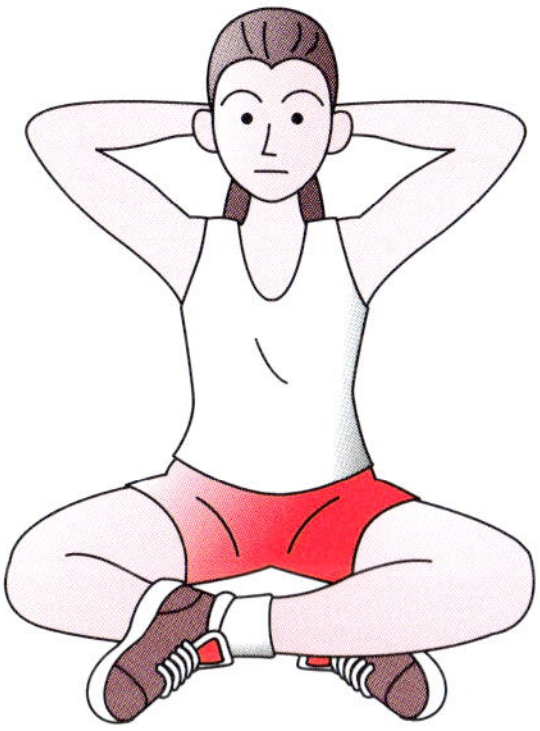

両手を頭の後ろで組み、胸を張る。
手のひらと頭を押し合う感じで

②

手のひらを外側に向けて組み、大きく伸び上がる

③

両手を頭の後ろで組み、頭を包み込むようにして首の後ろを伸ばす

④

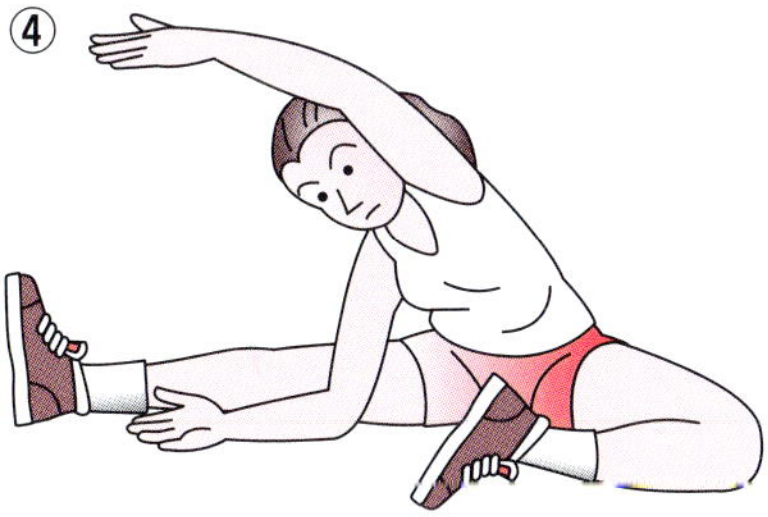

片脚を横に伸ばし、反対側の手を真上に伸ばしてからゆっくりつま先のほうへ倒す。左右ともに行う

ストレッチの方法と注意点

①反動をつけずに、ゆっくり伸ばす
②筋肉や腱に気持ちよい張りを感じたところで止める
③そのままの姿勢を10～30秒ほど保つ
■息は止めずに、自然に呼吸しながら行うのがポイント。また、痛みを感じるほど無理に伸ばさないように注意しよう

お酒やタバコとのつきあい方

ストレス解消の一つにあげられるのが、お酒とタバコ。しかし、どちらも度を超せば弊害が出てきます。「禁酒・禁煙！」と気張らないまでも、つきあい方を見直してみましょう。

アルコールは節度をもって

アルコールは、飲み方によってはストレス解消に役立ちます。家族や友人など、気づかいのいらない相手と飲むお酒は、コミュニケーションを深め、社会生活から生じる精神的な緊張から解放してくれるリラックス効果もあります。

しかし、限度を超えた飲酒は禁物。徐々に酒量が増え、アルコール依存症へと移行する可能性があるからです。

また、飲酒により自律神経失調症の症状が軽くなったように感じることがありますが、その場限りに過ぎません。思考力や感覚が鈍くなっているだけなのです。加えて、肝臓の障害や生活習慣病を引き起こす誘因にもなります。

寝酒も同様です。適量なら精神安定剤の役割を果たし、心地よい眠りを誘いますが、度を超さないようにするのが肝心です。

飲酒の目安量は個人差が大きいものですが、「過ぎたるは及ばざるがごとし」を肝に銘じ、また薬を服用する場合の飲酒は、なるべく避けましょう。

禁煙が難しければせめて節煙を

喫煙も気分転換の効果はあります。しかし、タバコもまた依存症に陥りやすいうえ、肺がんのほか、呼吸器系や循環器系などにも悪影響を及ぼします。さらに、伏流煙によって周りの人の健康へも大きな影響を与えます。

そうはいっても、なかなかやめられないのがタバコ。そこで、節煙から始めるのも一考でしょう。

アルコールが入る席では、ついタバコの本数も増えがちです。しかし、この組み合わせは体にとって最悪。度を過ぎないよう、とくに注意が必要です。

アルコールとのじょうずなつきあい方

休肝日を
必ずとろう
酒
Beer
WHISKY

- ビールなら大ビン１本、日本酒は２合、ウイスキーではシングル２杯までが目安。必ず休肝日を設けよう
- 薬を服用している場合は、主治医に確認すること

節煙・禁煙のポイント

酒席では
とくに注意
禁煙ガム
禁煙
飴

- タバコやライターをもち歩かない
- 酒席では喫煙量が増えるのでとくに注意
- 吸いたくなったら、お茶を飲む、散歩する、歯を磨く、ガムをかむなどして気をまぎらわす。また、自律訓練法（142ページ参照）やヨガをするのも効果的
- 市販の禁煙ガムや禁煙アメなどを試してみるのもよい

〝3食〟食べて健康生活！

健康的な生活を送るためにも、きちんとした食習慣を身につけたいもの。朝食抜きや偏食は、心身のバランスをくずす要因ともなります。

1日3食、バランスよく

健康的な生活を送るための基本は、毎日の食事にあります。とくに自律神経失調症の人は、バランスのとれた食事をとることが大切です。栄養素をまんべんなくとることによって、体の調整機能がととのえられるからです。

「栄養素をまんべんなく」といっても、あまり難しく考えることはありません。食事の献立を、

①主食……ご飯やパンなど
②主菜……肉類や魚介類など
③副菜……野菜や海藻など
④汁物……みそ汁やスープなど

の4構成を基本にして組み立ててみましょう。

これを1日3回、いろいろな食品からバランスよくとれば、健康を維持するために必要なほとんどの栄養素を補給することができます（左ページ図参照）。

目標は1日30品目

一般に、1日の食品は合計で30種類とるのが理想といわれています。たとえば、主食で1種類、主菜で3種類、副菜で3種類、そして具が3種類入った汁物を加えて10種類、これを3食とれば30品目になります。

ただし「絶対に30品目」と、神経質になる必要はありません。外

健康を維持するのに必要な5大栄養素

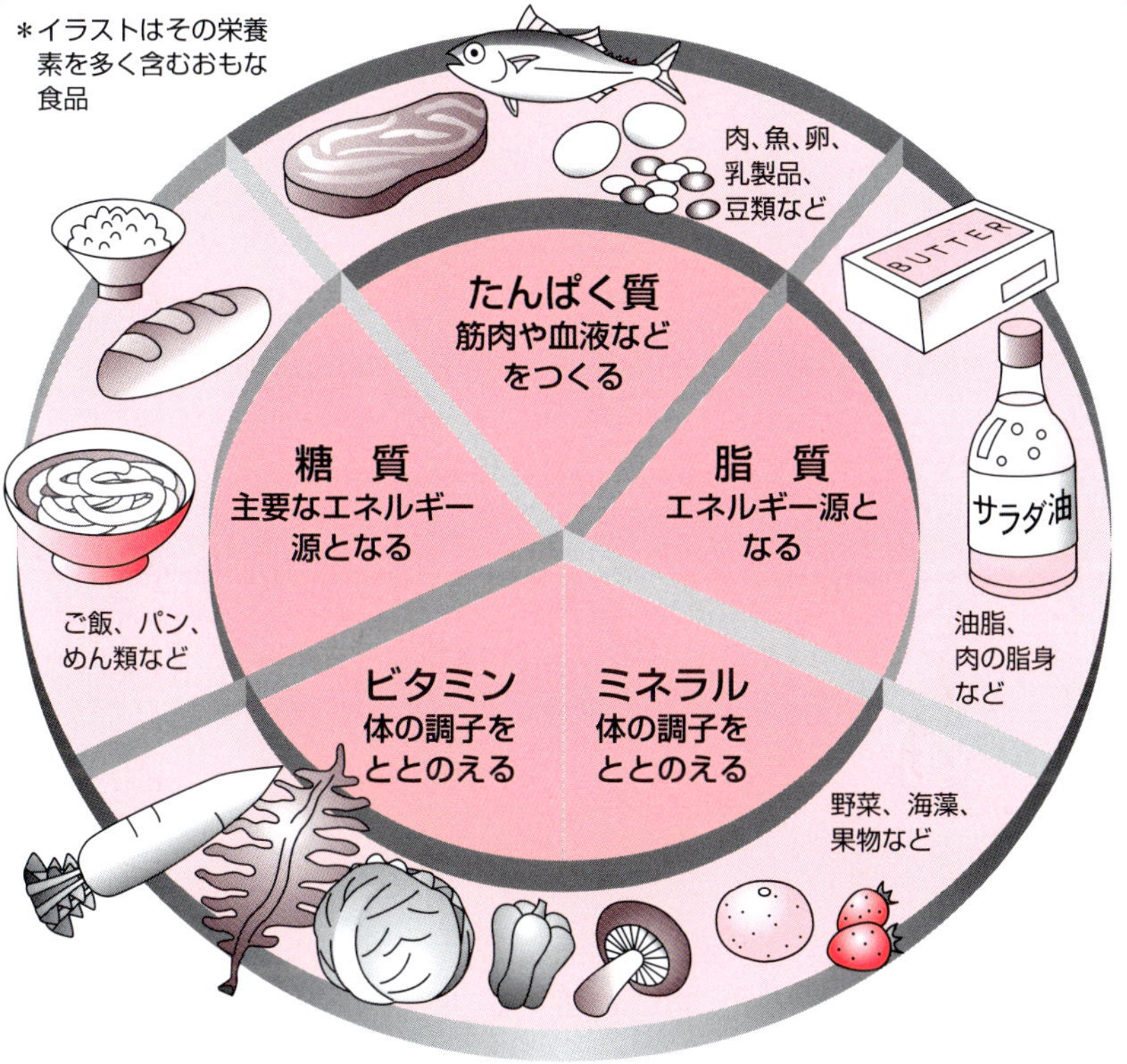
＊イラストはその栄養素を多く含むおもな食品
たんぱく質
筋肉や血液などをつくる
肉、魚、卵、乳製品、豆類など
糖　質
主要なエネルギー源となる
ご飯、パン、めん類など
脂　質
エネルギー源となる
BUTTER
サラダ油
油脂、肉の脂身など
ビタミン
体の調子をととのえる
ミネラル
体の調子をととのえる
野菜、海藻、果物など

いろいろな食品からバランスよくとろう！

BREAK ミニ・コラム

毎日の食事でストレスに強い体になろう

ストレスに強く、はつらつとした心身を保つため、たんぱく質やビタミンC・B_1を十分とりましょう。

たんぱく質は、体の組織をつくったりエネルギーになる重要な栄養素です。乳製品や卵、大豆、魚、肉などの良質なたんぱく質を毎日きちんととることで、体の組織が活発に働きます。すると体調を一定に保つ副腎皮質ホルモンの機能が高まり、ストレス耐性が高まります。なお、副腎皮質ホルモンの産生にはビタミンCが必要です。

一方、ビタミンB_1は、主要なエネルギー源である糖質の代謝を助けるほか、神経の働きを活発にする作用があります。豚肉に多く含まれ、また強化米も市販されています。

食が多い人は、丼ものなどはなるべく避け、定食など品数の多いメニューを選ぶとよいでしょう。

野菜は、1日に300g以上必要といわれています。結構な量に思えますが、3度に分けてとれば簡単です。

とくに不足しがちな緑黄色野菜にはビタミンやカルシウム、鉄分などが多く含まれています。彩りのよい食事を心がけて、積極的にとるようにしましょう。

バランスをくずす朝食抜き

食生活をととのえるには、朝食を抜かないことが大切です。夜ふかしをして朝は余裕がなくなり、昼食、夕食の時間もずれてしまえば、胃に負担がかかり、よくありません。生理機能は24時間で周期し、朝に上昇が始まり昼がピーク、その後は徐々に下がります。朝食は1日のスタートラインですから、きちんととる必要があります。

ただ、目覚めた直後は体温が低く、なかなか食欲もわきません。そんなときには夕食を少し減らしたり、夜食を控えれば、翌朝は適度な空腹感が出て、おいしく食べられるようになるはずです。

楽しく食べればおいしく、健康！

体によい食事とは、栄養やバランスのことだけではありません。あわただしく詰め込んだり、一人で食事をとるよりも、家族や友人とゆっくり楽しく食事するほうがよりおいしく感じられ、心まで満たされるものです。リラックスした気持ちが副交感神経の働きを活発化させ、胃腸の働きも高めてくれます。

イライラ感や不安感などをもったままの食事も、体によくありません。イライラしていると副交感神経が働きすぎて胃液が大量に分泌し、胃壁を傷めかねませんし、不安時は、交感神経の働きで胃腸の動きを抑制してしまいます。

このように、食卓の雰囲気や心のもちようによっても、消化のよし悪しが左右されます。栄養計算やカロリーに神経質になるより、むしろ、ゆったりとした時間をもつことが大切なのです。

体によい食事をとるために

朝食抜きは禁物。１日３食きちんと食べよう

家族との会話を楽しみながら、よくかんでゆっくり食べよう

食卓の雰囲気も大切。食欲がないときはテーブルウェアやクロスで食卓を演出するなどひと工夫を

大食いは消化器系に負担をかける。腹八分目を心がけよう

BREAK ミニ・コラム

食欲のない朝のおすすめメニュー

食欲がないときは、食べやすく消化のよい雑炊やおかゆがおすすめ。野菜やきのこ、海藻などをたっぷり加え、ビタミンやミネラルも補給しましょう。おかゆは、鶏肉や白身魚、そして少量のゴマ油を加えて炊いた中華がゆにすると、たんぱく質もとれてバランスがよくなります。

また、食欲増進には酸味を利用するのもコツ。酢やレモン汁、梅肉、ヨーグルトなどをじょうずに取り入れて調理してみましょう。

鶏がらスープをレモン汁とナンプラーで味付けし、ゆでたそうめん、牛肉などを入れて野菜やハーブをたっぷりのせれば、ベトナム風麺のでき上がり。酸味とハーブの香りが食欲をそそります。

カルシウムをとってイライラを解消！

カルシウムには、骨をつくるだけでなく、イライラを抑える働きもあります。カルシウムを多く含む食品を意識的にとって、気持ちをおだやかに、リラックスさせましょう。

カルシウム不足は怒りっぽくなる

特定の栄養素が不足すると、心身にマイナスの症状が現れてしまいます。とくに不足しがちなのはカルシウム。

カルシウムは、骨や歯をつくるもとになるもので、長い間不足すると、骨粗鬆症《こつそしょうしょう》になるばかりか、動脈硬化や高血圧、痴ほう症などの引き金にもなりかねません。

一方で、カルシウムは神経の伝達に重要な役割を果たすとともに、怒りっぽさやイライラ感を抑える働きもあります。眠れないときは牛乳を飲むとよいといわれますが、これは牛乳に含まれるカルシウムが脳細胞の興奮状態を抑制してくれるからです。

ですから、カルシウム不足に陥ると、怒りっぽくなったり、イライラしたりしやすくなります。このような状態のときに心配ごとや不快な症状があると、ストレスはいっそう大きくなってしまいます。精神の安定のためにも、カルシウムを多く含んだ食物をとることはとても大切です。

乳製品や小魚をより効率的に

成人が1日に必要とするカルシウムは、約６００mgといわれています。もともと日本人がよく食べる小魚類はカルシウムが豊富ですが、それが体に吸収される割合は約40%です。また牛乳や乳製品の吸収率は約50%です。

小魚、乳製品のほかにも、カルシウムを多く含む食品（表参照）はたくさんあります。豆腐などの大豆製品、ひじきやのりなどの海藻、チンゲンサイや小松菜などの青菜、切干大根など、手に入りやすいものばかりです。

カルシウムを多く含む食品

	食品名	分量（目安）	含有量
乳製品	牛乳	1本（200㎖）	200㎎
	チーズ	6Pチーズ1個	150㎎
	ヨーグルト	100g	110㎎
	スキムミルク	大さじ1	66㎎
小魚	めざし	1尾	100㎎
	わかさぎ	1尾	180㎎
	しらす干し	大さじ1	30㎎
	煮干し	10g	220㎎
大豆製品	豆腐	1丁	500㎎
野菜・海藻	小松菜	1束	1000㎎
	チンゲンサイ	1株	100㎎
	ほうれん草	1束	170㎎
	ひじき	大さじ1（乾燥）	70㎎
	切干大根	20g（乾燥）	94㎎

カルシウムのじょうずなとり方

①牛乳は手軽に飲めてカルシウムも豊富。できれば毎日飲もう
②小魚類はたんぱく質を含む食品と一緒に食べる
③インスタント食品、清涼飲料水はなるべく控える。これらに含まれるリンが、カルシウムを体外に排出してしまう
④適度に日光を浴びると、カルシウムの吸収をうながすビタミンDの合成が活発になる

●監修者
久保木富房（くぼき　とみふさ）
1969年、東京大学医学部保健学科卒業。1973年、東京大学医学部医学科卒業。1996年、東京大学教授（医学部附属病院　心療内科）となる。日本心身医学会理事、日本心療内科学会理事、日本交流分析学会理事、日本行動療法学会理事、日本絶食療法学会理事、日本産業精神保健学会理事、「心身医学」編集委員長、「心身医療」編集委員長、「日本行動医学」編集委員、1990. Panic Disorder Confer. 1993 Anorexia Nervosa Study Group.　おもな著書に、「不安症の時代」（不安・抑うつ臨床研究会編　日本評論社）、「抗不安薬の選び方と使い方」（新興医学出版社）、「Bulimiaの臨床」（三輪書店）、「拒食症の病態生理と診断・治療」（真興交易医書出版部）、「心療内科」「リラクセーション反応」（星和書店）など多数。

●編者
伊藤克人（いとう　かつひと）
東京都出身。1980年、筑波大学医学専門学群卒業。同年、東京大学心療内科入局。1986年、東急病院心療内科・健康管理センター勤務。専門は、心身医学、産業医学、森田療法。

宮坂菜穂子（みやさか　なほこ）
東京都出身。東京大学医学部附属病院内科、国立相模原病院内科、東京大学医学部附属病院分院心療内科を経て、現在、同大学院所属。研究テーマは、摂食障害の病態生理。

執筆協力
辻内琢也（医療法人財団・健生会クリニック診療室長、トータルストレス研究所副所長〈内科、心療内科、漢方診療〉、医学博士）
井出雅弘（自治医科大学附属大宮医療センター講師〈心療内科〉、医学博士）
大林正博（心と体のクリニック院長〈心療内科・内科〉、医学博士）
小川志郎（小川クリニック院長〈内科・心療内科〉）

専門医が治す！
自律神経失調症

監修者　久保木富房
編　者　伊藤克人
　　　　宮坂菜穂子
発行者　高橋秀雄
印刷所　フクイン
発行所　**高橋書店**
〒112-0013
東京都文京区音羽1-26-1
電話 03-3943-4525（販売）/03-3943-4529（編集）
FAX 03-3943-6591（販売）/03-3943-5790（編集）
振替 00110-0-350650

ISBN4-471-03230-5